KB148749

로컬의 진화

BOOK
JOURNALISM

로컬의 진화

발행일 ; 제1판 제1쇄 2020년 8월 31일 제1판 제4쇄 2023년 4월 25일
지은이 ; 류석진 · 조희정 · 김용복 발행인 · 편집인 ; 이연대
CCO ; 신아람 에디터 ; 이세영
디자인 ; 유덕규 지원 ; 유지혜 고문 ; 손현우
펴낸곳 ; ㈜스리체어스 _ 서울시 중구 한강대로 416 13층
전화 ; 02 396 6266 팩스 ; 070 8627 6266
이메일 ; hello@bookjournalism.com
홈페이지 ; www.bookjournalism.com
출판등록 ; 2014년 6월 25일 제300 2014 81호
ISBN ; 979 11 90864 06 0 03300

이 책은 2018년 대한민국 교육부와 한국 연구 재단의 지원을 받아 수행된 연구 성과입니다.
(과제 번호: NRF-2018S1A3A2075237)

책값은 뒤표지에 표시되어 있습니다.

북저널리즘은 환경 피해를 줄이기 위해
폐지를 배합해 만든 재생 용지 그린라이트를 사용합니다.

BOOK
JOURNALISM

로컬의 진화

류석진 · 조희정 · 김용복

스리체어스

; 밀레니얼은 스스로 로컬을 선택하며 삶의 속도와 방향을 능동적으로 바꾸고 있다. 이들은 창업과 수익만 목표로 하는 것이 아니라 '지역성을 반영한 생활과 공존', '새로운 라이프 스타일'이라는 가치를 동시에 원한다. 새로운 미래 가치가 폐허 위에서 움을 틔우고 있는 것이다. 더 나은 거주지, 더 나은 일터, 더 나은 삶의 공간으로서의 로컬을 만드는 움직임이 진행되고 있다.

차례

1 왜, 지금 로컬인가

로컬이라는 가능성의 공간

경제 위기는 늘 일어날 수 있지만, 국가나 은행이 망할 정도의 강한 충격을 주는 위기는 흔치 않다. 우리 사회에서는 1997년 IMF 외환 위기와 2008년 글로벌 경제 위기를 거치면서 기존에 살아왔던 방식에 대해 다른 접근이 필요하다는 의식이 생겼다. '성장을 위해 모두 조금씩 희생하고 노력하면 다 같이 잘살 수 있다'는 과거의 주장은 의미가 퇴색되고 있다.

굳건한 성장만 목적으로 하는 무한 개인 경쟁의 가치가 이제는 성장 자체에 대한 의심, 가치의 표류, 개인 소외로 나타나면서 공허한 수사로 사라지고 있다. 애국심을 강조하며 성장 신화를 향한 하나의 목표 속에 개인을 몰아넣고, 사회 전체의 통합과 발전을 위해 각자의 필요나 다양성을 양보하고 희생해야만 한다는 논리, 잘살기 위해서는 남보다 더 벌고, 남보다 더 많이 알고, 남보다 앞서가야 하는 경쟁 중독 논리는 이미 과거가 되고 있다.

코로나19 사태로 인해 가치와 공간에 대한 의식도 달라졌다. 전대미문의 팬데믹pandemic 충격에 직면하면서 '나'와 '우리'의 삶과 죽음에 대한 성찰이 이루어지고, 조금 더 나은 대안에 대한 갈망이 커지고 있다. '미래를 위해 오늘을 희생하기보다는 지금 좋은 삶을 살고 싶다'는 희망이 '남보다 더 잘살자'라는 구호를 대체하는 시대다.

공간 측면에서는 국제적인 이동이 거의 불가능해졌다. 글로벌라이제이션globalization으로 팽창하던 시선이 로컬라이제이션localization에 대한 관심의 시선으로 바뀌는 중이다. 낯선 존재 혹은 먼 대상이었던 로컬이 '나와 우리'의 범주 속으로 들어오게 된 것이다. 포스트 코로나 시대는 불안과 전망의 혼돈 속에 형성될 것이고 개인의 불안과 고민도 깊어질 것이다.

각자의 생각이 무르익으면 비슷한 생각끼리 모여 하나의 새로운 사회 가치가 만들어진다. 위기를 겪으면 개인도 살길을 모색한다. 그러면서 주변을 보게 된다. '나는 어디에서 살아야 하고, 무엇을 하면 좋으며, 어디에서 무엇이 잘못되었나, 새로운 것을 시도하는 것은 여전히 불가능한가'라는 생각이 꼬리에 꼬리를 물고 이어지면서 다른 사람들은 어떤가 하고 둘러보게 된다.

이 위기 속에서 그동안 별로 신경 쓰지 않았던 로컬이라는 공간이 새로운 가능성으로 다가오고 있다. 물론 그렇다고 '도시는 위험하고 희망이 없으니 로컬로 가자'라는 식의 실천이 진행되는 것은 아니다. 사회 변화는 급격한 것처럼 보이지만 내일 당장 사회 전체가 한꺼번에 변하는 것이 아니라 어느 정도 시간을 두고 서서히 변화한다. 다만, 현재 진행되는 변화가 2000년대 중반의 거대한 위기와 그에 따른 불안으로부터 시작됐다는 점에 주목할 필요가 있다.

로컬과 함께 언급되는 키워드가 소셜 벤처social venture다. 소셜 벤처는 경제적 가치와 사회적 가치를 함께 추구하는 기업 형태를 의미한다. 지역성 또한 사회적 가치에 포함된다. 따라서 로컬에서 변화를 시도하는 것도 사회적 가치를 추구하는 행동이다. 로컬과 소셜 벤처를 함께 이야기할 수밖에 없는 이유다. '이윤 추구만 하는 기업으로는 지속적인 성장을 기대할 수 없으며 사회 문제 해결을 목표로 하는 기업도 중요하다', '위기는 모두가 고민하면서 사회적으로 풀어 나가는 것이 더 의미 있다'는 진단이 사회적 기업 활성화에 힘을 보탰다.

2007년 사회적 기업 육성법이 만들어지면서 2020년 6월 말 기준 국내에 2500여 개 사회적 기업과 1만 7000여 개 협동조합이 활동하고 있다.[1] 사회적 기업에 이어서 소셜 벤처 창업이 유행하기 시작했고 2015년에는 성수동 소셜 벤처 클러스터cluster가 언론에 나오면서 사회적 관심이 커졌다.

하지만 '사회적'이라는 말은 여전히 포괄적이고 애매하다. 근원을 따라가 보면 기업의 사회적 성격에 대한 논의는 1950년대 양차 세계 대전 후 호황에 따른 기업의 수익을 사회적으로 환원하는 문제부터 시작됐다. 그러니까 이미 70년 넘게 진행된 오래된 논의인 셈이다. 기업은 원래 본질적으로 사회적이기도 하다. 다른 사람의 기여가 없는 생산, 유통, 소비란 애초에 불가능하기 때문이다. 하지만 대중이 바라보는 기업은 여전히 이윤 추구만 목적으로 하는 배타적 존재다. 경제 위기를 기점으로 다시 사회적이라는 가치를 강조하게 된 것이지만 생각해 보면 세상에 '사회적'이지 않은 것은 없기 때문에 범위가 어느 정도인지도 모호하다. 이윤에만 매몰되지 않는 기업을 강조하는 시도는 신선할 수 있지만 그것만으로 현재의 위기를 타개할 수 있다고 완전히 이해하는 것도 어렵다. "빵을 팔기 위해 고용하는 것이 아니라 고용하기 위해 빵을 판다"는 1986년 미국 사회적 기업 루비콘rubicon의 창업자 릭 오브리Rick Aubry 교수의 말에 따르면 '사회적'이라는 말을 '고용 문제 해결'이라는 의미로 해석할 수도 있다. 그러나 아무리 실업 문제가 커지는 사회라 해도 고용 해결만으로 사회적이라는 말을 파격적이라고 평가하기는 어렵다. 이렇듯 — 여전히 사회적 기업과 소셜 벤처들이 늘고 있지만 — '사회적'이라는 용어의 효력에 대한 의문은 현재 진행형이다.

다섯 가지 편견

오래전부터 로컬은 우리 사회에서 주인공이 아니었다. 대다수는 로컬을 지방, 시골, 변두리라고 생각하지 단단하고, 안정되게 존재하는 지역이라고 평가하지 않는다. 그런 로컬에서 새로운 기업을 만든다는 말은 '사회적' 기업이라는 말처럼 모호하게 느껴질 수 있다. 로컬에서 뭔가를 한다는 것이 공허하게 들리는 이유는 우리 사회에서 로컬에 대한 다섯 가지 편견이 공고하게 자리 잡고 있기 때문이다.

첫째, 로컬을 낭만이 가득하고 신선한 '기회의 땅'이자 '피난처'로 보는 로컬 낭만론이다. 도시의 매연과 스트레스, 끊임없는 치열한 경쟁에 치이고 지치면서, '누구를 위해 난 매일 이렇게 고생하는가', '왜 월급은 항상 통장을 스쳐만 가는가'라는 회의감이 드는 마당에 로컬에 가면 대도시가 주지 못하는 다른 느낌의 새로운 희망이 보일 거라고 기대한다.

여기에 잡지 《킨포크Kinfolk》(2011년), TV 프로그램 〈삼시세끼〉(2014년), 2015년 일본에서 개봉한 동명의 영화를 한국에서 리메이크한 〈리틀 포레스트Little Forest〉(2018년) 등 여러 매체가 로컬을 매력적으로 묘사한 것도 한몫했다. 물론 이런 매체들이 로컬에 대한 낭만만 키우는 것은 아니다. 〈삼시세끼〉의 배경은 도시를 벗어난 농어촌이기 때문에 분위기부터 신선하다. 한편으로는 도시 인간이 자연환경에 적응하는 데 겪는 어려움을 보여 준다. 도시 생활의 피로와 염증 때문에 귀향한 〈리틀 포레스트〉 주인공은 도착부터 크고 작은 문제들을 스스로 해결해야만 하는 상황에 봉착한다. 《킨포크》는 언뜻 보면 실제 생활과 동떨어진 느낌의 예쁜 디자인만 전부인 잡지처럼 보이지만 사실 '생태 환경 중심의 라이프 스타일' 메시지를 강조하는 잡지다.

길게는 10년, 짧게는 5년 전부터 국내에 이런 종류의 로컬 소개서들이 정말 많이 나오고 있다. 깊이는 저마다 다르지만 포틀랜드류, 북유럽류, 일본류, 국내 사례 소개서들도 많다. 아직은 로컬 인문서가 아니라 에세이로만 분류되는 이 책들은 대부분 '이렇게 새롭게 살고 있다'는 스토리텔링 방식으로 구성된다. 주로 로컬에서의 삶, 대안적인 삶, 새로운 공동체 가치, 삶의 행복과 만족에 관해 이야기한다.

다만, 마치 손님이 올 때만 깨끗하게 청소하는 집 상태처럼 지나치게 미화되는 경향이 있어서 현실과 동떨어진 느낌이 들 때도 있다. 현실은 시궁창인데 로컬은 아름다운 피안의 세계인가 하는 거리감이 들 때도 있다(물론 시간이 흐를수록 사실적이고 밀도 있는 로컬 인문서가 많이 나오고 있다).

절대로 변하지 않을 것 같은 굳건한 성장 논리 사회에 로컬이라는 대안 가치를 제시했다는 것만으로도 충분히 가치 있는 책들이니까 없는 것보다 낫다고 생각할 수 있다. 하지만 매체만으로 로컬을 잘 파악하는 것은 매우 어렵다. 책으로만 알 수는 없기 때문이다. 읽는 것만으로 결론 내리고 남의 스타일을 무턱대고 따라 하거나 그냥 어정쩡하게 표류하는 방식으로는 로컬에 깊이 뿌리내리기 어렵다. 로컬에 제대로 정착

하고 싶다면 적어도 사계절을 겪어 봐야 한다는 말은 괜한 말이 아니다.[2]

둘째, 로컬은 촌스럽다는 말로 대표되는 '로컬 폄훼론'이다. 로컬 낭만론과 정반대의 생각으로 근거 없이 낙관적인 것이 아니라 근거 없이 부정적이다. 무조건 대도시를 기준으로 비교하기 때문에 로컬을 양적으로나 질적으로 뒤떨어진 곳이라고만 평가한다. 로컬을 대도시 근처의 변방이나, 냄새나고 낙후한 지방 혹은 시골로만 생각한다. 모두 사람 사는 곳이고 어떻게든 살아갈 수 있다는 논리는 〈나는 자연인이다〉의 주인공이나 할 법한 비현실적인 생각이라고 쉽게 치부한다. 이 관점으로 보면 지금 로컬에서 창업하는 사람들은 모두 도시 생활에 적응하지 못하고 로컬로 도피한 실패자, 이른바 '루저loser'들이다. 대도시에 사는 사람뿐 아니라 실제로 로컬에 사는 사람도 이런 폄훼론을 습관적으로 내뱉는 경우가 많다. 로컬에 사는 사람들 모두 실패자라는 건 있을 수도 없는 일인데, 독선과 단정 속에 불평의 악순환이 반복된다. 그 불평의 대상에서 자신은 언제나 여집합이라고 생각하면서, 한계를 인정하지 않는다. 로컬 폄훼론자들에게는 수도권이나 대도시만 세련되고 편리하고 뛰어나다. 내 것만 옳다는 배타적 인식을 내세우려고 하고, 세상 변화는 등한시한 채, 어디에서 살든 돈이 최고고, 뭐든 폼 나야 좋다는 양적인 평가 기준만들이대며 깎아내린다.

이쯤 되면 이들에게 좋은 삶, 행복과 안식, 유쾌한 변화, 새로운 시도 등의 이야기는 꺼내기조차 불가능하다. "왜요? 그러면 뭐가 좋아요?"라며 명확한 계획과 분명한 성과를 급하게 재촉하기 때문이다. 자신의 삶이나 사회가 그렇게 신속하고 분명하고, 체계적으로 바뀔 수 없다는 것을 알면서도 자기 아닌 남에게는 유독 혹독하게 이른 시간에 분명한 성과를 달성하고, 체계적인 미래 계획을 세우라고 재촉한다. 이내 대화 불가능의 상태가 된다.

셋째, 로컬은 그저 퍼주고 베풀어 주는 대상일 뿐이라는 '로컬 시혜론'이다. 가장 대표적인 것은 정부의 퍼주기식 사업들이다. 돈이든 사람이든 일방적으로 투입하면 알아서 뭐라도 성과가 나올 것이라고 평가한다. 고기 잡겠다고 물에 그물을 마구 던지듯이 단기간에 돈을 뿌리면 그중에 스타 한 명 정도는 나올 것이라고 안이하게 생각한다. 이런 관점은 선택, 갈등, 실패, 고민 등 과정에 대한 고려가 매우 부족한 일방적이고 기계적인 관점이다. 진짜 필요한 것이 뭔지 정작 당사자와는 신중하게 의논해 보지도 않고 "일단 뭐라도 줄 테니 1년 내에 성과를 가져와라, 그러면 또 줄게" 하는 상황이 계속되면 로컬은 대도시나 중앙 정부보다 낮은 위치를 대물림하며 외부 지원에만 의존하게 된다. 영원히 해피 엔딩을 기대하기 힘들다.

어떤 정책이든 생태계를 표방하고 있지만, 그 생태계라는 것이 실제로는 적자생존, 약육강식으로 유지되며 그 안에는 무한한 다양성과 복잡성이 있다는 사실을 제대로 인식한 것인지 의심스러울 때가 많다.[3] 특히 사람을 키운다는 생각의 부족이 가장 큰 문제다. 사회는 기본적으로 사람으로 구성되고 사회를 이해하기 위해서는 구성하는 사람들의 특성을 알아야만 한다.[4] 오랜 기간 우리 사회에 꾸준히 축적된 행정 편의주의와 성과주의의 가장 비관적인 결과가 로컬 시혜론이다.

넷째, '로컬은 서울이 아닌 어딘가의 지역'. 이렇게 행정 단위로만 로컬을 바라보는 '로컬 행정론'이다. 이 책에서 말하는 로컬은 '지역'이자 '생활권'을 의미한다. 반드시 행정 단위와 일치하지 않는다. 우리가 사는 공간 모두 지역이다. 광역 지방 자치 단체, 기초 지방 자치 단체 모두 그렇다. 서울과 수도권이 특별할 것도 없고, 비수도권이라고 위축될 것도 없이 모두 그냥 지역으로 볼 수 있다. '서울에서 몇 킬로미터 떨어지면 로컬인가'하는 질문에 대한 정확한 대답은 불가능하다. 서울 안에서 특정 동네가 지닌 지역성도 로컬을 상징할 수 있다.

물론 인구 100만 명 이상의 대도시, 20~99만 명 정도의 중소 도시, 그리고 도시의 인프라가 매우 빈약한 농어촌 등 여러 기준으로 지역을 구분할 수 있다. 이 같은 계량적인 구분이 주는 편의는 많다. 지방 자치 제도가 그 오랜 편의성 속에서 작동해 왔다. 그러나 25년의 지방 자치 제도 실시 결과, 지역이 스스로 일어섰는가에 대해서는 회의적 시각이 많다. 로컬 각자가 지닌 역사, 체질, 문화, 사회, 경제, 정치 등의 특성을 모두 계량화하는 것은 불가능하다. 불가능하므로 계량화를 포기하라는 것이 아니라 불가능한 것이 있다는 점도 고려해야 한다는 의미다.

다섯째, '외국을 베끼면 우리도 그들처럼 될 수 있다'라는 '로컬 모방론'이다. 물론 정확한 연구에서 의미 있는 시사점을 끌어낼 수 있다면 이 관점을 굳이 편견이라고 구분 지을 이유는 없다. 좋은 사례는 충분히 참고할 필요가 있다. 그러나 성급함이 문제다. 마치 정해 놓은 것처럼 몇 개 국가의 일부 사례를 나열하고, 수요 파악이나 문제점에 대한 세밀한 고려 없이 적용하는 것이다.

이런 '사례 사대주의'가 일으키는 문제는 생각보다 심각하다. 사례에 현혹돼 외국도 이렇게 하고 있으니 우리도 그렇게 해야 한다는 논리를 만들기도 하고, 그렇게 하지 못할 경우 다시 '로컬은 그 수준밖에 안 된다'라는 로컬 폄훼론으로 이어져 편견 강화의 무한 반복만 이루어진다.

로컬 모방론은 (아직 제시된 적 없지만 언젠가 일어날 것 같은) 'K-로컬론'으로 이어질 수도 있다. 이는 마치 동전의 양면과 같은 편견을 만드는 것이다. 외국의 것을 진지한 고민 없이 그대로 받아들이자는 주장은 우리의 것을 외국에 그대로 적용하자는 입장과 같은 것이기 때문이다. 이런 관점에는 다양한 삶이라는 가치가 현저히 결여되어 있다. 나아가 산업 사회의 수출 강국이 돼야 한다는 강박증이 여전히 작동하고 있다. 상품뿐 아니라 삶의 방식도 수출할 수 있고, 이것이 국가가 지닌 경제력을 높인다는 식의 마케팅 관점만 앙상하게 남는 것이다.

우리는 지금까지 로컬을 푸근한 고향, 불편한 촌 동네, 그냥 적당히 베풀면 조용히 있는 변방, 인구수 중심의 행정 구획 그리고 모방·수출의 '대상'으로만 생각해 왔다. 편견을 가진 개인도 문제지만 정부, 기업, 미디어가 오랫동안 편견을 단단히 다져 왔다. 로컬이 우리의 이야기, 우리의 장소, 우리의 문화, 우리의 사회가 아닌 막연한 대상에 머무는 한, 어떤 새로운 이야기도 진행할 수 없다. 주체적으로 로컬의 대안과 희망을 설득력 있게 제시할 기회마저도 박탈하는 것이다.

로컬이라는 레토릭

이 책은 지역의 중요성을 강조하는 의미에서 마치 새로운 용어인 양 '로컬'이라는 표현을 쓴다. 이 표현 역시 수사일 뿐이지만 지역이라는 말이 지역으로서의 중요성을 올곧게 획득할 때까지는 로컬이라는 표현을 계속 쓰려고 한다. 로컬은 대도시 집중보다는 '분산성', 과거의 성장 가치보다는 앞으로의 '가능성', 능동적 삶을 위한 '자립성'이 복합적으로 결합한 폭넓은 범위를 뜻한다.

외부 위기와 내부 성장이 어우러져 로컬의 중요성이 떠오르고 있다. 사회적 가치와 로컬을 향한 다섯 가지 편견의 오랜 축적, 그리고 라이프 스타일 중심이라는 새로운 가치가 서로 어우러져 로컬의 진화가 시작되고 있다.

이러한 흐름이 잠깐 머물렀다 가는 청년들의 치기 어린 유행이 아닌 것만은 분명하다. 이미 로컬에서 5년 이상 새로운 시도를 한 이들은 무엇보다 실패와 성공을 경험하는 과정에서 깊은 고민을 하며 더 나은 로컬에서의 삶을 추구하고 있기 때문이다.

그저 그렇게 중앙 정부에만 의존하고, 남 탓만 하거나, 비교하며 사라져 가는 소멸 대상으로서 로컬은 그냥 사라지게 될 수도 있다. 그러나 그와는 별도로 로컬의 가치가 새롭게 창출되는 과정은 이미 진행 중이다. 새로운 미래 가치가 폐허 위에서 움을 틔우고 있는 것이다. 관광지나 휴양지에만 머무는 로컬이 아니라 더 나은 거주지, 더 나은 일터, 더 나은 삶의 공간으로서의 로컬을 만드는 움직임이 진행되고 있다.

2019년 초반부터 중반까지 로컬 이주자들을 직접 만나 그들의 삶을 들여다보았다. 문화/공간(협동조합 판, 여행자의 노래, 레비로드, 봄눈, 홍제원), 교육(춘천 별빛 산골 유학 센터), 콘텐츠(제튼, 무브노드), 푸드(버드나무 브루어리, 허브이야기, 단미 푸드, 나린뜰, 화이통 협동조합, 태백산 생태 마을 협동조합), 환경(오션 카인드) 분야 창업가들의 이야기를 담았다.

2 로컬로 향하는 밀레니얼

턴족 ; 나만의 가치를 찾아서

로컬에 사는 사람이 아닌, 로컬로 향하는 사람에 대해 먼저 이야기해야 하는 이유는 로컬에 사람이 줄어들고 있기 때문이다. 오랫동안 로컬에 살고 있는데 노인들만 늘어나고 청년들은 도시로 진학과 취업을 위해 떠난 뒤 로컬이 텅 비어 버렸다는 이야기는 너무 익숙하다. 하지만 그냥 흘려듣기에는 너무 심각한 이야기다. 우리가 사는 어떤 로컬도 이런 상황에 직면할 수 있기 때문이다.

인구가 텅 비어 버린 상태를 인구 절벽[5]이라고 부른다. 미국에서 등장한 이 개념은 일본에서 지역 소멸론으로 이어졌다.[6] 2011년 동일본 대지진 이후 정부에 대한 신뢰가 무너지는 과정에서 등장한 지역 소멸론은 사회에 충격을 불러일으켰다. 2014년 5월, 일본 마스다 히로야增田寛也 전 총무상이 주도하는 민간 연구 단체 일본창성회의日本蒼成会議[7]는 〈성장을 이어 가는 21세기를 위하여: 저출생 극복·지방 활성화 전략成長を続ける21世紀のために: ストップ少子化·地方元気戦略〉 보고서, 이른바 '마스다 보고서'를 발표했다.[8]

이 보고서는 일본 전체 1799개 지방 자치 단체의 절반에 육박하는 896곳이 2040년까지 소멸한다고 예측했다. 특히 이 가운데 총인구 1만 명도 안 되는 523곳의 지방 소멸 가능성이 매우 높다고 전망했다(우리나라에서도 이런 주제의 보고

서들이 점차 많이 나오고 있다). 이후, 마스다 보고서는 2014년 8월에 책으로 출간돼 2015년 신서 대상新書大賞을 수상할 만큼 큰 관심을 받았다. 현재 존재하는 지방 자치 단체의 30퍼센트 정도가 없어진다는 전망에 사회적 충격은 더 컸다. 그러나 실제 생활에서 '소멸'이 무엇을 의미하는가에 대해서는 조금 더 생각해 봐야 한다. 행정 구역이 사라진다고 실제 삶의 공간이 사라지는 것은 아니기 때문이다. 따라서 비판의 목소리도 컸다. '수도권 중심 접근', '경제 지상주의', '지방 포기 논리', '단일 변수 의존', '배제의 정당화'라는 지적이 나왔다.[9]

각 로컬은 저마다 나름의 다양한 재생 전략을 시도해 보기 시작했다. 일본 도쿠시마현 가미야마 지역의 비영리 단체 그린밸리Green Valley 이사장 오오미나미 신야大南信也는 소멸이 불가피하다는 사실을 받아들이되 줄어드는 숫자에만 관심을 두지 말고 그 내용을 바꿔 현명한 대안으로 지속 가능성을 도모하는 '창조적 과소화' 작업이 필요하다고 주장했다.[10]

이런 제안과 시도는 — 대책 없는 무책임한 제안이 아니라 — 힘겨운 로컬 현실에서 어떻게든 자생적 방식으로 노력해 보고자 하는 절실한 고민을 반영한 것이기도 하다. 현재 우리나라에 소개되는 일본 로컬의 성공 소개서에 등장하는 대부분의 사례가 자연 소멸을 그저 기다리기보다는 나름의 다양한 노력으로 극복하려는 사례들이기도 하다.

지역 소멸론을 놓고 갑론을박이 벌어지는 중에 로컬로 움직이는 사람들이 등장했다. 스마트폰에 익숙한 세대인 이들을 디지털 노마드digital nomad라고 부르기도 하고, 밀레니얼 세대, Z세대, 혹은 합쳐서 MZ세대라고 부르기도 한다. 디지털 노마드는 '노마드'라는 말이 상징하듯이 마치 유목민처럼 이동하며 살아간다. 이들은 이동에 대해 상대적으로 낮은 심리적 장벽을 갖고 있다. 시공간 경계 없이 누구와도 연결될 수 있다는 사고방식을 갖고 있기 때문이다. 제2의 뇌라 일컬을 정도로, 모든 정보가 담긴 스마트폰을 들고 어디에서든 근무할 수도 있고, 반드시 오프라인 자원에만 의존하는 것이 아니라 온라인 서비스를 능숙하게 활용해 문제를 해결할 수도 있다. 약한 유대weak ties, 네트워크 효과network effect 등이 이들의 활동 구조를 설명하는 개념들이다. 코로나19 이후 로컬 위성 사무실satellite office, 원격 근무에 대한 관심이 높아지는 현재, 디지털 노마드가 로컬로 이주할 가능성 또한 더욱 커지고 있다. 그렇다고 이들이 유목민, 이주민이라는 정체성만 가진 것은 아니다. 로컬 어디로 이동하든 어느 정도는 일정한 곳에 자리 잡고자 하는 욕구도 있다. 다시 말해 안정된 로컬 주민이 되고자 하는 복합적 정체성을 갖고 있다.

자신이 지향하는 가치에 따라 움직이는 성향도 이들을 로컬로 향하게 한다. 이들은 소비할 때도 환경 보호, 사회 기여, 생산 지표 등 투명한 생산 정보를 제공하는 상품과 서비스를 선호한다. 무조건 큰 것, 남보다 나은 것만 따라가기보다는 실업과 불황 위기 속에서 제한된 수입으로도 더 많이 만족할 수 있는 가성비 높은 소비를 선호한다. 이들은 자신이 추구하는 가치를 실현할 수만 있다면, 꼭 도시에서 살지 않아도 된다.

> 자기가 하고 싶은 일을 하고 싶어서 하는 것이지 떠밀려서 오는 것이 아니거든요. 자기가 하고 싶은 것이 명확한 사람들이 로컬에 와요.
>
> — 오석조, 문화 인력 양성소 협동조합 판 대표

> 직업을 선택해야 할 때를 맞게 된 친구들과 이야기할 기회가 생긴다면, 내가 먹고살 수 있는 일 말고, 내가 정말 해야 하는 일이나 내가 할 수 있는 일을 하라고 이야기해 주고 싶어요. 돈을 벌 수 있는 직장은 많죠. 저도 그런 직장에 다녔고요. 그런데 결국은 내가 하고 싶은 일을 하기 위해 빨리 포기하고, 빨리 전환했어요. 내가 좋아하는 일을 하면서 살고 싶어서 (강릉에) 회사를 차렸어요. 나만의 길을 찾으려고 지금도 고민하고 있는 중이에요.
>
> — 김용규, 오션 카인드 대표

노마드 성향을 장착한 이들은 대개 U턴, J턴, I턴[11]의 경로로 로컬로 이동한다. 턴turn족의 이주는 두 가지 이유의 복합적인 결과이다. 삶이 무료하고 피곤해 반사적으로 도시 탈출을 원하거나, 선제적으로 자신만의 사업 목적지 또는 삶의 거주지를 찾아가려는 것이다.

U턴족[12]은 다시 오던 길로 돌아가는 것처럼, 말 그대로 로컬에서 태어난 사람이 학교나 일 때문에 도시로 일정 기간 떠났다가 다시 고향으로 돌아오는 것을 의미한다. 그러니까 외부인을 기준으로 보면 주민이라고 볼 수 있지만, 로컬에서만 산 주민으로서는 ― 어쨌든 상당 기간 로컬을 떠나 있었기 때문에 ― 주민이라고 보기 어려운 부분도 있다.

고향으로 돌아온 U턴족은 고향 환경 자체가 익숙하고, 고향에 대해 어느 정도의 애착심도 있다. 그리고 모두가 그런 것은 아니지만 부모나 조상으로부터 물려받은 물적 자원과 선후배 등 인맥도 있고 ― 그동안 변하기는 했어도 ― 고향에 대한 기본 정보와 지식, 경험도 있다. 고향에 '쌓아 둔' 것이 많기 때문에 이들은 도시에서 로컬로 유턴할 가능성이 상대적으로 높다.

> 학교 때문에 지방을 선택한 친구들은 사람 관계 때문에 졸업 후에도 지방에 남는 경우가 많은 것 같아요. 대다수 친구들이

지방에서 맺어진 동아리나 대외 활동 관계를 중요하게 생각하거든요. 지방에 나의 흔적이 많아진 친구들일수록, 어느 정도 타협할 수 있는 일자리만 있다면 지방에 남을 확률이 높아지는 것 같아요.

— 오석조, 문화 인력 양성소 협동조합 판 대표

복합 문화 공간 무브노드의 김신애 대표는 진짜 하고 싶은 일을 하기 위해 고향인 태백으로 U턴했다. 그러나 곧바로 나고 자란 곳에 정착했다기보다는 근처의 임대료가 저렴한 곳을 선택했다. 경제적 이유로 정착할 곳을 선택하는 과정에서 결과적으로 고향을 아끼는 마음이 커졌다.

대학 진학을 위해 태백을 떠났고, 서울에서 직장 생활을 5년 정도 했어요. 회사 다니는 게 너무 피곤하다 생각될 때쯤, 지인이 '제주다움'이라는 체류 프로그램을 소개해 줬어요. 디지털 노마드를 많이 만났고, 그들과 같이 살았어요. 한 달 동안 머물렀는데 진짜 신세계를 발견한 거 있죠. 서울로 돌아왔는데 똑같은 삶이 반복됐어요. 이후에 부모님을 만나러 태백에 왔는데 문득 그런 생각이 들더라고요. 우리 지역에서는 제주다움 같은 걸 할 수 없을까, 가족들과 살면서 디지털 노마드 공동체를 만들 수는 없을까. 부모님은 태백의 다른 지역인 황

지에 사시고 이 지역(하장성)에는 무브노드 때문에 처음 왔어요. 임대료 때문에 여기로 온 건데, 처음에는 돈 때문에 이곳을 선택한 게 사실 괴로웠어요. 서울이나 번화가에 가까우면 좋겠다는 생각을 했었거든요. 그런데 디지털 노마드 친구들이 자연환경과 조용한 것을 좋아하기 때문에 이쪽도 장점이 있다고 생각하게 됐어요.

— 김신애, 무브노드 대표

태백산 생태 마을 협동조합 정연태 대표 역시 가족과 함께 U턴한 사례이다. 다만 정 대표의 경우는 상당 기간 고향에 적응하지 못했다고 한다. 그러나 생활하면서 로컬에서 보람 있게 할 수 있는 일을 발견하고 그 일을 확대하는 과정에서 자연스럽게 적응했다.

아내가 이 곳의 작은 초등학교로 발령이 나서 돌아왔어요. 살던 곳인데 15년 만에 와서 그런지 2년 반 정도 적응을 못 했어요. 그랬다가 아이들이 16명뿐인 작은 초등학교에서 아이들을 같이 돌보면서 그 친구들에게 관심을 두게 됐어요(지금 해당 초등학교는 폐교됐다). 동네를 자의 반 타의 반 둘러보다 보니 아이들이 갈 만한 곳이 없더라고요. 그래서 작은 도서관도 만들고, 아동 센터도 만들면서 사회 복지 일을 하게 됐습니다.

— 정연태, 태백산 생태 마을 협동조합 대표

창업 첫해 4억 원의 매출을 기록한 원주의 치즈 생산 청년 기업 단미푸드 박채림 대표는 대학을 중퇴하고, 즐기면서 돈을 벌고 싶다는 생각으로 스물 둘에 자신이 좋아하는 디저트 사업을 시작했다. 경쟁이 치열한 서울을 택하기보다는 인적, 물적 기반이 있는 고향 원주로 돌아왔다.

> 어른들은 준비를 많이 하고 사업을 시작하는데, 그 정도는 아니고 준비 없이 시작한 게 맞아요. 언제나 제 주식은 밥보다는 디저트였어요. 사업 아이템을 개발했을 때 치즈 빙수가 유행이었어요. 원래 치즈를 못 먹는데, 그때 좋아하게 된 치즈 빙수를 매일 매일 먹었어요. 그러면서 그냥 지금 나와 있는 치즈를 손쉽게 만들면 좋겠다고 생각했고, 고향에서 사업을 하게 됐어요. 지금 함께 일하는 분들 모두 원주 분들이에요.
>
> — 박채림, 단미푸드 대표

J턴족은 U라는 글자를 세로로 반으로 자르면 보이는 J를 생각하면 된다. 로컬에서 태어난 사람이 도시로 떠났다가 자기 출생지가 아닌 출생지 인근이나 다른 로컬로 이동하는

경우를 말한다. 반semi지역민이라고 볼 수 있는 이들은 대도시에서만 지낸 사람보다는 로컬 환경에 익숙하다는 면에서 U턴 족과 비슷하지만 낯선 곳에 정착한다는 점에서는 I턴 족과 비슷하다.

춘천 별빛 산골 교육 센터 윤요왕 대표는 전형적인 J턴 족이다. 20대 후반부터 30대 초까지 서울 인권 단체에서 일한 뒤 춘천에 정착했다. 왜 그곳에 정착하게 됐는지 물어보니 — 대부분의 로컬 이주자들에게서 들을 수 있는 — '도시 사회생활의 매너리즘과 피로감 때문에'라는 답을 들을 수 있었다.

> 현장에서 정신없이 쉬지 않고 일하다 보니 쉬고 싶어졌고, 어느 순간에 매너리즘에 빠졌다는 생각이 드는 거예요. 마을로 와서 농사를 본격적으로 시작한 때가 32살이에요. 젊으니까 이게 아니다 싶으면 그만둘 수 있다고 생각했죠, 뭐. 억지로 무엇을 하고 싶지 않았어요. 춘천에서 1년 살다가 맞는 것 같아서 정착하게 됐죠.
>
> — 윤요왕, 춘천 별빛 산골 교육 센터 대표

I턴족은 제2의 살 곳을 찾는 외지인으로 주로 대도시에 사는 사람들이다. 아무 연고 없는 외지인이 로컬을 찾는 경우

다. 귀촌이나 귀농도 I턴식 이동을 의미하는 것일 수 있다. 이들은 로컬에 대한 지식도, 경험도 절대적으로 부족하지만, 대도시의 익숙한 터전보다 로컬을 과감하게 선택한 만큼 상대적으로 도전 정신이 높다.

해양 보호 활동을 하는 회사인 오션 카인드의 김용규 대표는 서울에서 태어나, 서울에서 자랐다. 이후 2017년에 가족들과 함께 강릉으로 이주한 I턴족이다. 대학 때 사진을 전공한 그는 광고 사진을 찍으며 스튜디오에서 일했었다. 일에 답답함을 느껴 취미로 시작한 스쿠버 다이빙을 하면서 가슴 뛰는 일을 찾다 보니 생업을 포기하고, 취미를 생업으로 선택했다.

> 누나가 스쿠버 다이빙 강사를 하고 있어서 휴가 때 취미로 따라다녔어요. 서울에서의 답답함을 못 이기고 쉬고 있을 때 누나가 스쿠버 다이빙 쪽으로 진로를 권유하더라고요. 선뜻 그런다고 한 건 아니었지만 가슴 뛰는 일을 하고 싶어서 도전을 선택했어요. 바다와 관련된 일을 하려면 바다가 있는 곳으로 아예 가야겠다는 생각이 들었습니다.
>
> — 김용규, 오션 카인드 대표

이 같은 과감한 도전은 도시를 떠나는 다른 많은 이들

에게서도 쉽게 찾아볼 수 있다. 특징은 이들의 나이대가 20대 후반이나 30대 초반부터 시작될 정도로 젊다는 것이다. 은퇴 후에 로컬로 향하는 것이 아니라 한참 직장 생활의 절정기에 로컬을 선택하는 시대가 된 것이다. 이들은 스스로 로컬을 선택하며 삶의 속도와 방향을 능동적으로 바꿨다.[13]

이들이 도시에서 왜 이탈했는가보다는(사실 대도시에서 평균적인 개인의 삶의 질이 그다지 높지 않다는 점에서 그 이유를 상상하는 것은 그렇게 어려운 일이 아니다) 로컬에 어떻게 자리 잡게 되는가가 훨씬 더 흥미롭다. 어디로든 이탈할 수 있지만, 어딘가에서 정착하고 창업하는 것은 훨씬 더 어렵고 복잡다단한 과정이다. 이들은 이주 과정에서 로컬의 중요성을 조금이라도 긍정적으로 포착하고 스스로 받아들였다는 점에서 능동적이고 새로운 로컬 주민으로 진화하는 중이다.

로컬 창업 : 돈이 다가 아니야

지역의 문화 플랫폼 역할을 하는 카페 레비로드 엄정원 대표는 고향인 영월에 U턴해 정착했다. 그러나 단순히 고향에 돌아온 것이 아니다. 그곳에서 자신만의 스타일로 카페를 운영하면서 외지인에게 영월이 살 만한 곳이라고 알려 주고 싶었다. 카페라는 사업 목적, 라이프 스타일을 가진 로컬을 만들고 싶다는 목적을 동시에 갖고 있었다.

옛날부터 카페를 운영하고 싶었어요. 그런데 단순히 카페만 하고 싶지는 않았어요. 저한테 카페는 커피 한잔 하러 가고, 혼자서 책을 읽을 수 있고, 도란도란 사람들과 이야기 할 수 있는 힐링 공간이었거든요. 그래서 '소통할 수 있는 문화 공간을 만들고 싶다, 내가 여기에서 활동하게 된다면 내 또래와 주변인에게 영월이 살 만하다고 이야기해야겠다'라고 생각했어요.

— 엄정원, 레비로드 대표

강원 춘천에 있는 문화 인력 양성소 협동조합 판의 슬로건은 '세상에서 가장 재밌는 기획을 하자'이다. 오석조 대표는 강원도를 떠나는 청년 문제를 심각하게 바라봤다. 청년들이 살 수 있는 환경을 만들고 싶다는 마음으로 사업을 시작했다. 협동조합 판을 비롯한 청년 네트워크들이 함께 만든 '강원살이'는 강원도에 거주하는 청년들의 삶의 질을 높이는 것이 첫 번째 목표다. 지역 안에서 서로의 취향을 공유할 수 있는 친구를 만드는 공간이다. 오 대표는 '젊고, 재미있는' 강원도를 만들고 싶어 한다.

예를 들어 블루베리 담금주 만들기, 예쁜 카페에서 사진 찍기, 같이 밥 먹을 사람 찾기, K리그 같이 갈 사람 찾기, 캔들 만들기. 이렇게 혼자 하기는 겁나지만 소소한 친구가 필요한 프로그램을 주로 진행해요. 문화 예술로의 진입 장벽을 낮추고 싶고, 그 키워드로 재미있게 놀기 위해 친구들을 키우려고 해요. 문화 예술로도 지역이 변할 수 있으니까요. 돈을 벌기 위해 일부러 네트워크를 만드는 것은 아니에요. 저는 제가 40~50대에는 중년 문화를 주도하고, 70대가 넘으면 실버 문화를 주도할 것이라고 생각해요. 지역에서 의미 있는 일을 하면서 그냥 재미있게 놀고 싶고, 저와 결이 같은 친구들이 지역에 남게 하고 싶어요. 전 앞으로도 문화 예술을 할 거니까, 문화 예술을 하는 친구들을 지역에 남게 하고 싶은 마음이 커요. 그래서 강원도가 재밌어지고 젊어지면 좋겠어요.

— 오석조, 문화 인력 양성소 협동조합 판 대표

수제 맥주 펍인 버드나무 브루어리의 전은경 대표는 외지에서 강릉으로 이주해 2015년에 창업했다. 여행 기자였던 전 대표는 일 때문에 양조장을 오래 취재하면서 전통주에 관심을 가졌고, 전문 양조 기술까지 배웠다. 2015년에 강릉의 전통주 제조장인 방풍도가, 양조 교육 기관인 수수보리 아카데미와 함께 버드나무 브루어리를 만들었는데 함께 창업한 이들은 홍대 수제 맥주 교육 과정의 동창들이다.

전 대표가 처음부터 지역으로 가야겠다고 생각한 건 아

니었다. 취재차 찾은 지역의 오래된 양조장들은 모두 문을 닫으려고 하는 상황이었다. 요즘 시대에 맞는 사업을 해서 공간의 역사를 이어 가고 싶다는 생각에 지역으로 향했다.

> 취재하러 다니면 지역마다 전통주가 있어요. 전통주가 가지고 있는 가능성이 매우 크다고 생각해서 전도사까지는 아니더라도, 지역 고유의 술을 많은 사람에게 알리고 싶다고 생각했어요. 오래된 양조장을 찾다가 2014년 말에 강릉에 오게 됐는데, '바로 여기다'라고 생각했어요. 지금(2019년)은 평창 동계 올림픽 때문에 많이 깔끔해졌지만 그때는 문 닫은 철물점 등 1970년대 광경이 그대로 남아 있었어요. 훨씬 낙후된 느낌이었지만 우리가 만들려는 맥주를 여기만큼 잘 표현할 수 있는 곳은 없다고 생각했어요. 오래된 막걸리 공장을 찾아서 끊어져 가는 강릉의 술 역사를 잇기 위해 새로운 강릉 수제 맥주를 만든다는 스토리를 보여 주고 싶었어요.
>
> — 전은경, 버드나무 브루어리 대표

버드나무 브루어리 길 건너, 조선 시대 국영 여관 거리인 강릉 홍제동에서 게스트 하우스 홍제원을 운영하는 배효선 대표도 전은경 대표와 함께 수수보리 아카데미 출신으로서 강릉에 왔다. 배효선 대표는 홍제원을 개업하기 전에는 버드나무 브루어리 강릉점의 대표를 하며 초기 창업과 운영을 책임졌다.

> 원래 건축을 전공했기 때문에 옛날 건물을 고치는 것에 익숙해서 옛날 집을 고치고 살아야겠다고 막연히 생각했어요. 옛날 집을 고칠 거면 게스트 하우스를 해서 오는 사람들을 만나면 좋겠다고 생각했고요. (버드나무 브루어리를 준비하던 초반에는) 강릉 주민이라기보다는 현지인과 관광객 중간 어디쯤의 위치에서 정착도 못 하고 떠나지도 못 하는 사람이었어요. 평창 동계 올림픽 전인 2017년에 강원창조경제혁신센터에서 지역 재생형 게스트 하우스 청년 창업 공모가 있었는데 '아, 이거 내 이야기다'라고 생각하고 지원해서 선정됐어요. 5000만 원을 지원받았고 홍제원을 고쳐서 게스트 하우스를 만들었어요. 이후에 홍제원을 개업하면서 강릉에 아예 정착하게 됐어요. 당시에 이게 장사가 될까 크게 고민 안 했어요. 장사하려는 게 아니라 그냥 그때 내 마음이 쉴 수 있는 공간을 만들고 싶었어요.
>
> — 배효선, 홍제원 대표

많은 창업자가 그렇듯 혹시 이들도 유니콘unicorn[14]을 꿈꾸냐고 물으면, 답은 '아니다'이다. 로컬 창업자들이 유니콘을 목적으로 했다면 대도시에서 창업하는 것이 더 나을지도 모른다. 그러나 로컬에서는 그 흔한 투자 자본이 있는 것도 아니고, 창업 정보는 고사하고 이야기를 나눌 상대를 찾는 것 자체도 어렵다. 뭘 하면서 돈을 벌지 고민하면서 한편으로는 매일매일 어떻게 살아가야 하냐는 질문을 직접 맞닥뜨리게 되는 상황이 훨씬 더 많다.

먹고사는 게 중요한 문제지만, 로컬 창업의 목적이 돈을 버는 데에만 있다고 본다면 로컬 이주자들의 이동과 창업의 의미를 너무 좁히는 것이다. 창업뿐 아니라 로컬에 담긴 사회적 환경과 사회적 책임의 의미도 중요하게 고려해야 한다. 자본주의 연구와 창조적 파괴 개념으로 유명한 조지프 슘페터Joseph Schumpeter는 기업가 정신을 강조하면서 기업가의 사회적 역할을 이윤 추구와 사회적 책임이라고 정의했다. 이러한 주장을 대입해 보면 로컬 창업자도 로컬에 대한 사회적 책임을 갖춰야 한다.

정리하면 로컬 창업자들은 창업과 수익만 목표로 하는 것이 아니라 '지역성을 반영한 생활과 공존', '새로운 라이프 스타일'이라는 가치를 동시에 원하는 사람들이다. 2015년 서울 마포에서 처음 열린 마포 로컬리스트 콘퍼런스의 주최자들은 '로컬리스트는 지역과 일상, 사회적 가치에 우선순위를 두고 관심과 활동을 이어 나가는 모든 사람'이라고 정의했다.[15] 창업하든 사회 활동을 하든 지역성이라는 가치를 우선에 둔다면 누구나 로컬리스트가 되는 것이다.

일본 로컬 벤처 에이 제로エ-ゼロ의 대표인 마키 다이스케牧大介는 그의 책《로컬 벤처ロ-カル ベンチャ-》에서 '지역에는 가능성이 있고 비즈니스를 통해 그 가능성을 찾아내는 것은 정말로 두근두근하는 재미있는 일이다'라는 의미로 로컬 벤처를 소개했다.[16] 로컬 벤처는 지역성에 기반을 둔 가치 소비를 목표로 하고 그 목표를 기반으로 지역 발전에 기여하는 새로운 창업 형태임을 강조했다.

조금 더 폭넓게 생각할 수도 있다. '벤처 정신'을 로컬에서 수용하되, 지원 기관 실무자에게도 적용해 로컬 전반에서 도전 정신을 확산하며, 벤처의 혁신성을 강조해 로컬의 '자립적 경제권'을 모색하는 창조적 혁신을 도모한다는 정의도 있다.[17] 로컬 창업자는 사회·정치·지식 요소들의 창조적 결합을 통해 새로운 상품, 시장, 서비스를 개발할 수 있는 마인드 셋을 갖춰야 한다. 또 막연한 그림과 설계도만으로 로컬에 뛰어드는 것이 아닌 로컬 저마다의 체질을 파악하려는 신중한 자세가 필요하다.[18]

U·J·I턴족들이 사업을 하기 위해 로컬에 정착한다고 해서 모두 성공적인 로컬 창업자나 로컬 주민이 되는 것은 아니다. 대도시 창업자들이 경험하는 것과 같은 사업 경영 문제

에 더해 로컬 라이프 스타일, 로컬 주민과의 갈등도 또 다른 어려움으로 작동한다. 또한 이들은 무엇이 지역성인가, 로컬 사회에 어떻게 뿌리내릴까 등 다양한 고민을 안고 있다.

우선 어디에서 창업할지 고민한다. 비용, 유동 인구, 수익 창출 조건 등 입지 선택을 위해 고려해야 할 것도 많다. 일반 창업자와 달리 로컬 이주자가 입지를 선택할 때에는 고려해야 할 요소의 범위가 도시보다 훨씬 더 넓을 수 있다. 특히 이들에게는 일반적인 입지 조건에서 유동 인구가 크게 중요하지 않다. 지역성을 살릴 수 있어야 한다는 '목적'이 더 중요하다.

스타벅스와 고속도로 휴게소를 비교해 보자. 스타벅스는 상권을 유량flow이 아니라 저량stock으로 본다. 즉, 사람들이 '머무는' 공간을 만들어 공간의 가치를 높이는 것이다.[19] 손님들은 머무르기 위해 스타벅스라는 공간을 찾고, 공간의 의미가 담긴 텀블러와 같은 굿즈를 사면서 소비가 확장된다. 반면 고속도로 휴게소는 지나가다 즉흥적으로 한 번씩 방문하게 되는 곳이다. 따라서 머무를 수 있는 공간을 제공하기보다는 사람들이 충동적으로 구매할 수 있는 상품 판매에 주력한다. 계속 찾고, 머무를 수 있도록 로컬 특유의 라이프 스타일과 서비스를 제공하는 로컬 벤처는 스타벅스와 유사하다고 볼 수 있다.

입지 면에서 보아도 도시보다 임대료가 상대적으로 저렴해 더 넓은 공간을 확보할 수 있는 로컬 벤처는 공간의 가치를 높이는 저량 산업에 유리하다. 로컬 텃족들은 어디에서 창업할지 고민할 때 단지 상품을 팔아서 돈을 버는 것만 추구하는 게 아니라 로컬의 가치를 높일 수 있는지를 중요하게 생각한다. 단지 많이 팔기 위해서만 로컬을 선택한 것이 아니라는 의미다.

탈도시를 통한 로컬 살이, 탈경쟁을 통한 공유 추구, 탈고립을 하면서 공존하겠다는 로컬 벤처의 가치 철학은 복합 문화 공간, 북 스테이book stay, 라이프 스타일 카페, 로컬 수제 맥주, 책맥book&beer, 산골 유학, 아티스트 레지던스artist residence, 푸드 허브 프로젝트food hub project, 마을 호텔·마을 펍(시민 자산화) 등과 같은 새로운 사업 형태로 나타나고 있다.

3 로컬이 콘텐츠가 되는 법

오래된 것의 재발견

로컬 창업자가 향하는 로컬은 진공 상태의 텅 빈 곳이 아니라, 나름의 자원으로 채워져 있는 공간이다. 창업자들은 여기에서 외부인의 소비나 외부 자원에만 의존하지 않고 나름의 새로운 방식으로 로컬의 강점과 특징을 살릴 수 있는 자원을 발굴해 새로운 생태계를 구축하고 있다.

이 생태계에서는 물질 자본주의만이 아니라 공감 자본주의empathetic capitalism도 중요하다. 미국의 경제학자 제레미 리프킨Jeremy Rifkin은《공감의 시대》에서 특히 젊은 세대가 상품의 품질보다 만드는 사람의 경험과 사업 취지에 공감하는 소비를 하는 경향이 높다고 강조했다.[20] 조금 더 친밀하게 로컬 자원의 의미를 설명하고, 사회적 가치를 높인다는 취지를 구현한 상품과 서비스가 상대적으로 공감 자본주의를 더 풍부하게 실현할 수 있다. 로컬에서는 상품과 서비스가 품고 있는 가치에 대한 공감이 울림을 일으켜 삶의 가치를 중심으로 시장 생태계의 진화가 이루어질 수 있는 것이다.

그들이 활용하는 자원은 부존자원Natural Resource, 발굴 자원Discover Resource, 창조 자원Creative Resource 등 세 가지로 나눌 수 있다. 로컬 창업자는 부존자원을 발굴해 지역성을 반영한 발굴 자원으로 만들고 여기에 창조성을 더해 창조 자원을 만든다. 순서대로 자원을 만드는 것은 아니다. 자원을 어떻게, 어떤 순서로 활용하는지는 뒤섞여 있거나 다양할 수 있다. 다만 어떤 부존자원을 발견해 내는가, 발굴 자원에 지역성이 얼마나 반영되었는가, 창조 자원에 창조성이 어느 정도 들어있는가의 차이만 있을 뿐이다. 로컬 벤처마다 각자 주력하는 자원의 특성도 다르다. 로컬 벤처 모두가 창조 자원만 만들려고 창업하는 것도 아니다. 부존자원의 발굴 자체만으로 만족할 수도 있고, 발굴 자원의 범위가 넓어서 끝도 없이 발굴하는 데만 주력할 수도 있거니와, 마을 공동체나 사업 생태계 자체를 뒤흔드는 창조 자원의 '빅 픽처big picture'를 목표로 할 수도 있다.

먼저 부존자원은 로컬에 이미 존재하는 자연 자원과 사회 문화 자원이다. 예를 들면 동굴, 해변과 계곡 등 자연 자원과 폐광, 폐교, 폐양조장, 폐공장, 폐조선소 같은 오래된 유휴 시설과 공간 등이다. 도시 공학이나 건축 분야에서 오랫동안 추진해 온 도시 재생, 공간 재생 등의 사업도 주로 부존자원을 이용한 경우가 많다.

또한 로컬에는 다양한 형태의 사회 문화적이고 역사적인 기억과 스토리가 존재한다. 한국 근현대사와 관련된 마을과 조상들의 이야기(예를 들면, 윤동주의 시집《하늘과 바람과 별과 시》의 원고를 보존해 출간할 수 있게 만든 정병욱의 광양 양조장, 서울 서촌 기린교의 숨은 역사적 이야기 등)도 사회 문화적 부존자원이 된다. 이러한 자원은 그냥 객관적으로 존재한다고 '여겨지는' 자원일 뿐, 부존자원으로 호명되지 못하고 있는 경우가 대부분이다. 누군가 '필요하다'고 불렀을 때 비로소 부존자원이 되는 것이다.

이 때문에 부존자원의 많고 적음은 어떻게 보면 객관적으로 주어진 것 같기도 하지만 이는 사전적이 아니라 다분히 사후적인 성격을 가진다. 누군가 가치를 인식하고 알아내야 하기 때문이다. 폐광과 폐제철소를 활용해 로컬 재생에 성공한 영국 도시 등의 사례를 보자. 그 사업에 성공하기 전까지 폐광, 폐교, 폐제철소 등을 부존자원으로 인식해 왔던 사례가 얼마나 될까 생각해 보면 이해하기 쉽다. 모든 국가나 로컬에 버려진 공간이 있다고 그게 자원으로 만들어지는 건 아니기 때문이다. 오히려 그전까지는 로컬의 발전을 저해하는 부정적인 자원으로 여겨졌을 것이다. 오래되고, 낙후되어 곧 철거해야 도시 환경 미관에 더 좋을 것처럼 보였던 자원들, 얼른 허물고 큰 빌딩을 지으면 임대 수입이 짭짤할 것 같은 공터나 빈 건물, 아무도 모르던 그 동네의 소소한, 그러나 무심했던 이야기 등 이른바 '쓸모없어 보이는' 자원들이 대부분이었을 것이다.

부존자원은 어디에도 없을 수 있고, 어디에나 존재할 수도 있다. 부존자원은 발굴과 활용을 기다리는 원재료 혹은 원석과 같은 속성을 지닌다. 같은 해변이나 계곡을 가지고 있다거나 같은 이야기가 있더라도 동일한 결과물이 나오지 않는 것과 같다.

아직 채 5년이 안 된 로컬 벤처 생태계는 부존자원을 발견하고 발굴 자원으로 가공하고 창조 자원으로 만드는 선순환 구조를 이제 막 형성하려고 하는 단계라고 봐야 할 것이다. 자원의 특성이 강하게 드러난 몇 개의 사례를 유형별로 살펴보자.

스토리를 입히다

로컬 창업자들은 쓸 만한 공간을 발견했다고 바로 인테리어를 하거나 뜯어고치지 않는다. 공간의 가치를 고민하고 거기에 스토리텔링을 더해 사람들이 찾아오게 만드는 이유와 가치를 부여한다. 폐양조장, 활용되지 않고 있는 유휴 공간, 로컬 농산물. 이런 부존자원에 새로운 의미를 더해 역사와 스토리를 품게 만드는 과정이 필요하다. 따라서 부존자원은 기존에 객관적으로 존재하고 있는 것이 아니라, 사회적 맥락과 사람들의 의지와 노력에 따라 구성되는 속성이 강하다.

부존자원을 발견하고 지역성이라는 의미를 부여한 새로운 형태의 발굴 자원은 기존 형태나 아이디어는 유지하면서 로컬의 장점을 붙여서 재구성하는 방식으로 진행된다. 이미 있는 사업 형태에서 착안했으니 쉬울 거라고 생각할 수 있지만 절대 그렇지 않다. 오히려 남들처럼 쉽게 보고 지나치는 것에 머물지 않고 지역성을 접목할 수 있는 가능성을 포착한다는 점에서는 거의 창조 자원과 다를 바 없는 창조력이 돋보인다.

그리고 도시에서는 하기 어려운, 로컬 자원에 창의적인 문화 개념을 더하는 능력도 뛰어나다. 가치 소비를 지향하고, 결과로서의 제품보다 원료 생산지와 공정 과정의 중요성을 높이 평가하는 최근의 흐름에 정확히 부응할 수 있는 것도 장점이다.

예를 들면, 도시에서는 차를 마시며 책을 볼 수 있는 북카페가 흔하지만 로컬에는 책도 읽고 머물기도 하는 북 '스테이stay' 서비스가 있다. 오래 머물면서 책도 보고 로컬을 이해하라는 의미다. 북 스테이는 단순히 책만 파는 것이 아니라 로컬 주민과 함께 문화 활동을 진행하는 복합 문화 공간의 역할도 한다. 라이프 스타일 카페가 콘셉트인 경우도 있다. 단순히 책만 보고 차만 마시는 것 이상의 쓰임이 생기는 것이다.

또 호텔이라면 뭔가 화려하고 크게 마음먹고 여행을 할 때만 이용하는 곳 같지만, 로컬에는 '마을' 호텔이 있다. 수직형 단독 공간인 호텔이 아니라 수평형 마을 전체에서 호텔 방식의 서비스를 누리는 것이다. 호텔식 서비스를 제공하는 오

피스텔 개념인 레지던스가 로컬에 도입되면 아티스트 인 레지던스artist in residence, 작가 인 레지던스writer in residence와 같은 서비스로 나타난다. 이외에도 산골 유학, 산죽차山竹茶, 로컬 캔들, 메밀빵, 한옥 게스트 하우스 등을 예로 들 수 있다.

라이프 스타일 카페와 북 스테이 카페는 이미 전국에 흔하다. 이주자들이 가장 먼저 발견하는 것은 지역의 공간이고, 이 공간에 사람을 모을 수 있는 가장 효과적인 방법은 문화 행사, 공방 운영 등이다. 소비자들과 물리적 거리가 먼 경우에는 머물 수 있는 공간도 필요하기 때문에 단순한 북 카페가 아니라 북 스테이가 된다. 라이프 스타일 카페나 북 스테이 카페는 비즈니스 수익 창출뿐 아니라 지역성을 얼마나 효과적으로 더하는가가 핵심 성공 요인이 될 것이다.

춘천 별빛 산골 교육 센터 윤요왕 대표는 외국으로 가는 유학이 아니라 도시에서 로컬로 가는 춘천 '산골' 유학이라는 아이디어를 생각했다. 2005년 학교를 마치고 집에 가던 초등학생이 교통사고로 사망한 사건이 계기였다. 학교 수업이 끝나도 아이들은 오갈 데가 없었고, 도로에는 아이들을 지켜 줄 방지 턱도, 무인 카메라도 없었다. 윤 대표는 어른들의 책임이라고 생각했다. 이후 내 아이의 일이라고 생각하고 근본적인 문제 해결을 고민하기 시작해 동네의 마음 맞는 학부모들과 아이들을 안전하게 돌보기 위한 방과 후 학교를 직접 운영하게 됐다.

> 아이한테는 아무 잘못도 없는데…. 이런 사회적 타살을 막아야 한다고 말하고 다녔어요. 예전에 제가 어렸을 때만 해도 마을에 또래 집단이 있었는데 요즘에는 또래 친구를 만나기 어려워요. 그래서 아이들 지키는 일에 총대 메겠다고 했죠. 처음에는 돈도 공간도 없어서 유치원 교실을 이용해서 방과 후 학교를 운영했어요.
>
> — 윤요왕, 춘천 별빛 산골 교육 센터 대표

그러나 이내 학생 수가 줄어들어 학교 자체가 통폐합되거나 없어질 위기에 처하자 고민은 더욱 깊어졌다. 그 과정에서 일본의 산골 유학 제도에 대해 우연히 알게 돼 학부모들과 공부 모임을 하면서 본격적으로 산골 유학 사업을 시작하게 됐다. 윤요왕 대표는 나아가 산골 유학 마을을 창조하고, 사업이 활성화되면서 기존 마을과 연계한 운영 인력과 숙소 등 다양한 형태의 부존자원을 발굴해 지역성을 높이고 있다. 춘천의 스토리를 입힌 산골 유학이 그냥 유학과 다른 점은 뭘까. 자율성이다. 사전에 예비 학교를 운영해 학생들이 직접 충분한 기간 산골 유학을 체험하고, 스스로 판단하고 결정해 1년 동안 춘천으로 유학을 오는 방식이다. 산골 유학 '맛보기' 기간에는 스마트폰을 쓰지 못하게 한다. 이것 때문에 크게 망설이던 아이들은 이내 산골에 적응하고 어른들의 생각보다 훨씬 잘 지내게 된다고 한다.

강제로 끌려 온 아이는 오래 못 버텨요. 우리나라, 또 외국에서 먼저 농촌 유학을 시도한 곳들에서 다 그렇게 나타났어요. 아이가 어쨌든 마음의 결정을 하고 와야 하는 거죠. 학기 초에 월요일부터 토요일까지 프로그램을 짜놓고 무엇을 할지 학생들이 자유롭게 선택하게 해요. 계속 놀고 싶다고 결정한 아이는 놀기만 해도 돼요. 또 목공, 뜨개질, 호스 테라피(horse therapy) 등의 프로그램이 있어요. 9박 10일 동안 예비 학교를 운영해 보니 아이들이 사나흘만 경험하면 돌봐 주던 선생님들이 쓰러질 정도로 잘 놀아요. 기본적으로 스마트폰, TV, 컴퓨터를 못 보게 하는데도 그걸 참고 재밌게 지내요. 도시 아이들이랑 농촌 아이들이랑 못 어울리는 것 아니냐, 이런 걱정도 많이 하시는데 그건 어른들의 생각이에요. 도시 부모는 농촌 애들은 거칠고, 다른 아이들 따돌릴 거라고 우려하고 농촌 부모들은 또 도시 애들은 계산 잘하고 이기적이라고 우려해요. 이런 건 그냥 부모들의 생각일 뿐이고요. 실제로 아이들을 섞어 놓고, 누가 도시 아이고, 누가 농촌 아이인지 고르라고 하면 못 골라요. 아이들이 잘 적응하는 게 참 신기했어요. 그렇게 캠프가 끝나고 아이들이 집에 가서 부모님들과 의논한 뒤에 다시 오게 돼요.

— 윤요왕, 춘천 별빛 산골 교육 센터 대표

태백산 생태 마을 협동조합의 산죽차도 초등학교 아이들과 지역을 공부하기 위한 체험 활동을 하던 중 탄생했다. 우연히 발견한 산죽차가 그 지역에 이미 흔하디 흔했다는 사실을 발견하고는 차로 만들었다. 아무도 주목하지 않았던 태백산의 산죽이라는 부존자원을 발굴해 낸 것이다.

여기가 문화적으로 소외되어 있으니까 공모 사업에 지원해서 아동 센터 아이들과 매해 바깥으로 다녔어요. 여수에는 세 번 갔고, 하동에서 차 체험도 했어요. 아이들이 지역을 너무 모르는 것 같아서 "너희는 산천 아이들이니까 숲을 알아야 해"라고 하면서 몇 년 동안 숲 체험을 한 거죠. 그 숲 체험을 하다가 — 옛날부터 보긴 봤지만 — 조릿대(산죽)를 발견하게 됐거든요. 아이들을 교육하기 위해 자료를 찾다가 조릿대의 효능이 '아, 이거구나'하고 알게 된 거죠. 이게 하나의 자원이 되고 상품이 되고, 이걸로 일자리를 만들 수 있을 것 같다고 생각하게 됐어요. 희망찬 생각을 하게 된 것 같아요.

— 정연태, 태백산 생태 마을 협동조합 대표

태백의 캔들 디자이너 김보연이 만든 고백 캔들gobaek candle은 기존 브랜드 캔들과 달리 태백의 자연 향이라는 부존자원을 캔들로 만든 경우이다. 고백高白은 한자로 '높고 하얀 곳'으로서 태백이라는 고지대에서 만든 캔들이라는 의미와 함께 한글로 고백이라는 말의 순수성과 진정성을 담았다.

평창 브래드메밀은 평창의 부존자원인 메밀을 주재료로 창업한 베이커리다. 단순히 재료만 발견한 것이 아니라 청년·자연·지역이라는 세 개의 키워드를 나눠 '평창이 만드는 빵'이라는 결과물을 내놓고 있다. 기본에 충실하되 창의적인 빵을 만들 것, 해발 700미터 청정 지역 평창의 자연이 깃든 신선한 빵을 제공할 것, 지역 주민이 직접 키운 신선한 재료를 써서 건강한 빵을 만들 것을 원칙으로 한다.[21]

홍제원은 조선 시대에 중국 사신이 머물렀던 국영 여관 동네인 강릉 홍제동에서 구옥을 게스트 하우스로 개조한 공간이다. 30년 전인 1990년대에는 삼척과 태백, 속초 등 주변 지역에서 강릉으로 유학 온 대학생이 모여 하숙과 자취를 하던 동네였다.

> 젊은 분들이 많이 와요. 요즘 젊은 사람들은 일하기 너무 바쁜데, 여기 동네가 조용하고 되게 느린 곳이니까 그 분위기에 취해서 쉴 수 있었으면 좋겠다고 생각했어요. 그런데 오래된 동

네의 구옥을 고친 건데 과연 내가 로컬 크리에이터가 맞는가 하는 생각이 들더라고요. 그 말이 조금 부담스럽게 다가왔죠. 홍제원은 사실 로컬이 사용하는 데가 아니라서요. 그냥 내가 좋아서 게스트 하우스를 하는 건데, '내가 로컬에서 어떤 일을 크리에이티브하게 하고 있나'하고 고민했어요.

— 배효선, 홍제원 대표

새로운 가치를 만들다

창조 자원은 발굴 자원에 창조라는 힘이 더해진 자원을 의미한다. 즉 발굴 자원이 기존 개념을 로컬을 중심으로 응용한 것이라면 창조 자원은 아예 새로운 것을 창조함으로써 또 다른 차원의 로컬 부존자원을 만드는 것이다. 부존자원을 발견해 지역성을 입힌 뒤 여기에 여러 방식을 더해 창조 자원을 만드는 과정 그 자체가 새로운 로컬 자원이 되는 방식이다. 하나의 자원을 재발견하고 이를 가공하는 과정은 오랜 시간이 걸린다. 그리고 자원의 순환 구조가 안정적으로 형성되기 위해서는 또 다른 시간이 필요하다.

의미를 깊이 공감하기 어려운 '듣도 보도 못한' 자원을 어느 날 갑자기 발굴해 엄청난 물량을 퍼부어 후다닥 화려하게 고치고, 대대적으로 홍보하고, 잠시 관광객 특수 효과를 누린 후에 언제 있었나 싶게 허무하게 사라지고 마는 일회성 관광은 창조라고 볼 수 없다. 삶의 공간에 새로운 자원을 결합해 생산, 유통, 수익과 평가를 지속하려는 꾸준한 시도가 창조인 것이다.

또 다른 차원으로 로컬 자원을 창조해 새로운 가치를 담아 로컬 부존자원이 된 사례를 살펴보자. 로컬 수제 맥주·문화 행사·헌정 맥주 등의 서비스와 프로그램을 운영하는 강릉 버드나무 브루어리, 꽃차 판매·교육·노인 고용·텃밭 가꾸기·케이터링까지 결합한 영월 화이통 협동조합, 환경 보호와 비즈니스를 동시에 추구하는 오션 카인드가 있으며 이외에도 제주 전문 잡지, 마을 공동체와 마을 호텔 등이 있다.

버드나무 브루어리는 강릉만의 새로운 수제 맥주를 만들기 위해 강릉 홍제동의 폐양조장이라는 부존자원을 발굴해 활용했다. 이들이 택한 강릉 합동 양조장은 1926년 설립돼 2014년까지 탁주 공장으로 운영되다가 막걸리의 인기가 떨어지면서 문을 닫았다. 그 자리를 버드나무 브루어리가 지금의 수제 맥주 공장과 펍으로 재탄생시켰다.

더 나아가, 기억할 만한 동네 사람의 이름을 붙인 맥주 사업, 강릉의 옛 지명인 '하슬라'와 밀 공급 마을 명칭을 붙인 '미노리', '즈므' 등의 수제 맥주 브랜드로 창조 자원을 만들고, 책맥 문화 행사 같은 발굴 자원을 만들어 냈다. 치맥이 아닌 책맥은 책을 사면 맥주 한 잔을 마실 수 있는 프로그램인데, 강릉의 자원으로 제품을 만들고 주민의 문화생활을 지원하는 것이다.

동네 분들이 평일 낮에 와서 책을 읽고 맥주 한잔하고 가요. 책을 사면 맥주를 무료로 드리거든요. 말글터라는 지역 서점이랑 함께 하는데 수익금은 거기에 모두 드려요. 책맥도 매월 주제가 달라져요. SNS에 올려 사람들에게 추천을 받아서 추린 책 리스트를 말글터에서 선정해서 여섯 권 정도를 판매하거든요. 맥주 한 잔이 비싼 건 8000원, 9000원 정도 하잖아요. 책이 1만 4000원 정도인데, 그러면 사는 사람 입장에서 5000원만 추가하면 되는 거니까 반응이 좋아요.

미노리 세션은 강릉시 사천면 미노리[22]에서 나오는 쌀을 이용한 맥주에요. 특정 지역이라는 의미라기보다는 일단은 이름이 예뻐서 미노리라고 붙였어요. '솔향 강릉'이 도시 슬로건이기 때문에 솔잎에서 추출한 액을 넣어서 파인 시티 같은 맥주를 만들기도 해요. 그런 식으로 지역 재료를 활용한 맥주를 만들어요. '오죽 스타우트'를 만들었을 때는 오죽헌에서 이미지를 따와서 '검은 대나무 같은 강렬하고 도수도 센' 진한 스타우트를 만들었어요. 즈므 블랑같은 경우도 즈므 마을의 이름이 예뻐서 쓴 거예요. (웃음) 미노리 세션도 일본 이름 같지만 한글이고, 즈므 블랑도 불어 같지만 전체 명칭은 한글이고 하슬라도 한글이에요. 그렇게 전체적으로 궁금증을 자아낼 여지가 있어야 좋은 것 같아요.

— 전은경, 버드나무 브루어리 대표

영월의 화이통 협동조합은 흔한 로컬의 꽃을 꽃차 사업으로 발굴하고 여기에 찻자리 체험, 교육 프로그램 등을 더했다. 영월 인구는 4만 명 이하인데, 이 가운데 4분의 1이 60세 이상의 고령층이다. 20년 이내에 인구는 절반으로 줄어들지도 모른다. 화이통 협동조합은 단순히 꽃 사업을 운영하는 것이 아니라 다양한 사회 문제를 '꽃'으로 해결하려고 한다. 강원랜드에서 재산을 탕진한 도박 중독자들을 대상으로 꽃차 만들기를 하면서, 그들이 자격증도 따고 자활할 수 있도록 돕는다. 학교에 안 가는 아이들에게는 원예 치료, 컬러 테라피를 하고 어르신들에게는 치매 예방 사업을 한다.

'어르신 텃밭 가꾸기'를 해요. 어르신들이 텃밭에 꽃을 가꾸면 그걸 우리가 사요. 그렇게 하면 마을의 경관도 예뻐지죠. 예전 같으면 벌레도 안 오는 독한 메리골드 꽃이나 서리가 내리면 죽어 버리는 맨드라미 꽃 같은 걸 우리가 수매하는 거예요. 꽃차 사업만 했다면 진작 문 닫았을 거예요. (웃음) 우리는 옥계, 춘천, 제천, 원주, 강릉, 단양, 서울에도 갑니다. 단순히 찻자리 체험 행사를 한다는 의미가 아니라 적은 비용을 받으면서 우리를 알릴 수 있고 홍보를 할 수 있는 기회라고 생각해요. 매출뿐 아니라 브랜드 가치를 높이는 데 집중하려고 해요. 우리는 지역에 있는 꽃이나 정읍 같은 지역에 있는 한약재를 써서 대기업과 차별화해요.

— 양승우, 화이통 대표

오션 카인드는 해양 쓰레기 중 특히 플라스틱 쓰레기의 폐해를 알리려는 개인의 동기에서 시작됐다. 김용규 오션 카인드 대표는 강릉 해변의 플라스틱 참상이라는 부존자원을 발굴해, 이를 지역 상인과 관광객들을 대상으로 한 새로운 사업으로 만들었다. 환경 보호를 말하지만 이들은 비영리 단체가 아니다.

일단은 바다 보호 활동을 하는 단체보다는 회사였으면 좋겠다는 막연한 생각을 했어요. 저만의 생각일 수도 있지만 비영리 단체라고 하면 당연히 그 일을 해야 하는 사람들이라고 생각하는 인식이 있는 것 같아요. 예를 들어 환경미화원이 쓰레기를 치우는 것을 대단한 것이 아니라 매우 자연스럽게 생각해요. 한국에도 비영리 단체들이 매우 많아지고 있는데 사회가 그 단체들이 하는 본질적인 일에 대한 관심은 적고 그냥 익숙하게 받아들이는 거죠. 또 '비영리'와 '영리' 사이에서 고민하던 중에 비영리 단체는 운영에 가장 많은 돈이 들어간다는 내용을 봤어요. 예를 들어, 동물 보호 단체가 동물 보호 비용보다 직원 임금이나 임대료, 홍보비에 더 많은 돈을 쓰게 되면서 정작 하고 싶은 일을 못 하게 되는 거죠. 그럴 거라면 차라리 당당하게 돈을 잘 벌어서 필요한 일에 쓸 수 있는, 후원자에 너무 의존하지 않고 독립적으로 보호 활동을 할 수 있는 형태가 기업이라고 생각했어요.

오션 카인드는 처음에는 특정 제품을 만들어서 바다를 보호한다는 메시지를 담는 정도의 활동만 했다. 남방 돌고래와 관련된 그래픽을 담은 티셔츠를 만들었고, 그 티셔츠를 판매해 번 돈을 제주에서 돌고래 보호 활동을 하는 단체에 기부했다. 이후 교육과 캠페인을 통해 사업 범위를 넓혀 갔다.

수익 창출과 바다 보호, 두 가지를 동시에 할 수 있는 게 있더라고요. 캠페인 활동, 교육 활동입니다. 가족과 주말마다 해변에서 쓰레기를 줍고 그 사진을 인스타그램과 블로그에 올려요. 행사 관계자들이 그걸 보고 캠페인 진행을 요청해요. 동해안 쪽에 비슷한 활동을 하는 단체나 기업은 없는 것으로 알고 있어요. 앞으로 하고 싶은 것은 일단 누구든지 해변에 나가서 해변의 쓰레기를 직접 주워 보고 개수를 세어 보는 경험을 하는 거예요. 그러면 어디가 문제인지, 뭘 하지 말아야 하는지 바로 알 수 있어요. 적어도 매일 바다 옆에, 강릉에 사는 사람들이라면 그런 부분에 대한 인식을 갖게 하고 공론화를 하는 게 사업의 목표라고 생각해요.

— 김용규, 오션 카인드 대표

이와 비슷하게 양양의 서피 비치Surfy Beach는 단순히 해변의 서핑 숍뿐 아니라 복합 문화 공간을 제공하며 부존자원에 로컬의 특징을 더하기 위해 노력하고 있다. 제주 전문 잡지 《인iiin》은 아예 창조 자원으로 시작해 발굴 자원을 발견해 새로운 로컬의 부존자원이 됐다. 인은 제주의 많은 로컬리스트가 개별 로컬에서 고군분투하며 새롭게 자원을 발굴하고 있지만 잘 알려지지 않고 있다는 점에 주목했다. 제주 각 로컬의 발굴 자원을 체계적으로 정리해 소개하고, 나아가 제주 각 마을에 말로 전해 내려오고 있지만 자원이 되지 못한 스토리들을 적극적으로 기록해 소개한다. 《인》뿐만 아니라 《다시, 부산》, 《보슈》, 《별별 사이》, 《브로드컬리》, 《스트리트 H》, 《옥포에고》, 《월간 옥이네》, 《이음, 제주》, 《전라도닷컴》, 《하트인부산》 등의 로컬 잡지, 무크지, 웹진 등도 이 경로를 거쳐서 로컬의 새로운 부존자원이 되고 있다. 밀레니얼을 위한 목포의

'괜찮아 마을' 또한 새로운 공동체를 꿈꾸는 청년들이 폐건물을 활용하는 방식으로 부존자원인 마을의 다양한 숨겨진 스토리를 발굴해 마을을 풍성하게 만들고 있다.

인천 개항로 프로젝트는 구도심의 오래된 건물을 리모델링하는 활동이다. '좁은 골목길'이라는 부존자원을 발굴해 2년간 10개의 공간을 새로 만들었다. 오래된 병원을 개조한 카페 브라운 핸즈, 양복점 공간에서 탄생한 갤러리, 최초의 쫄면을 만든 광신 제면소와 협업한 국수 전문점 개항면 등 창조자원을 만들었다.

> 동네를 기억하는 사람들의 이야기가 콘텐츠가 되고 콘텐츠가 또 다시, 이야깃거리가 되면서 콘텐츠는 더 풍성해진다. 그리고 모두가 함께 만든 콘텐츠는 사람들을 불러 모은다.
>
> — 이창길, 인천 개항로 프로젝트 대장[23]

5000명이 사는 작은 마을에서 예술가와 IT 벤처 기업들이 몰리는 핫플레이스로 탈바꿈한 일본 가미야마의 사례도 살펴보자.[24] 오오미나미 신야는 태평양 전쟁 이전인 1930년대 미·일간 우호의 징표로 미국 주민들이 보낸 인형이 여전히 마을에 남아 있다는 것을 우연히 알게 됐다. 이후 이를 발굴해 1980년대 인형을 고향으로 돌려보내는 프로젝트를 진행하며 가미야마와 미국 펜실베이니아 마을을 연결했다. 그 전까지는 인형은 분명 부존자원이었지만 아무도 주목하지 않는 그냥 '거기 있는 것'에 불과했다.

그러나 오오미나미는 주민들과 함께 인형에 의미를 부여하고 교류 프로그램을 만들었다. 이를 통해 가미야마에 국제적 감각을 입히면서, 예술가들이 마을에 머무르며 작품을 만드는 '아티스트 인 레지던스'를 끌어냈다. 이후 벤처 기업의 위성 사무실도 유치했다. 작은 인형으로, 청년들이 찾는 마을로의 변신을 가능하게 만든 것이다. 인형에 담긴 고정 관념을 창조적으로 파괴해 문화 교류는 물론, 가미야마 마을의 분위기까지 바꾸는 로컬 자원의 진화를 이뤘다.

이 책에서 유형론보다 진화론을 강조하는 이유도 로컬에서 이와 같은 다양한 경로의 자원 활용이 진행되고 있기 때문이다. 다윈의 진화론에서 이야기한 종species의 '적자생존의 논리'처럼 자원 활용 방식이 하나의 방향성을 가지고 있는 것은 아니다. 그때그때 상황과 조건에 따라, 그리고 로컬 이주자의 의지와 노력에 따라 다양한 방향의 화살표가 그려질 수 있고, 그 화살표가 서로 중첩되거나 때로는 역방향으로 나타날 수도 있다. 이런 측면에서 보면 로컬에서는 자원 활용 방식의 상호 작용이 매우 활발하게 이루어지고 있다. 그 과정이 원활하고 역동적으로 순환될 때 더 나은 생태계가 조성될 것이다.

다양한 로컬 자원의 활용 방식과 경로는 지금 이 순간에도 진화하고 있다. 그러나 자원만 활용하는 것으로 로컬에서의 새로운 삶이 완성되는 것은 아니다. 로컬에는 이주자나 주민 외에도 다양한 부류의 사람들이 있고, 그들과 소통하는 것은 때로 매우 어려울 수 있다. 한편으로는 모든 것이 사람이 하는 일이기 때문에 사람과의 관계는 가장 중요한 문제가 되기도 한다.

4 소통의 진화

젠트리피케이션 넘기

이제까지 우리 사회가 관심을 보인 로컬의 소통은 주로 '젠트리피케이션gentrification[25]'과 같은 부정적 효과에 대한 것이 대부분이었다. 즉, 유입되는 관광객과 이주민들이 '그들만의' 공간에 머물다 떠나는 경우 주민 반발이나 갈등은 필연적이라는 것이다. 관광객 등 새로운 인구 유입이 로컬과 같이 가는 것이 아닐 수 있다는 정도가 아니라, 오히려 반대 방향으로 움직일 수 있다는 비판이 많았다.

관광객이 많아지면 지역 상인에게는 매출 증대로 연결될 수도 있다. 하지만 관광객에게 인기 있는 이른바 '핫 플레이스' 상점들과 관광객에게 인기는 없지만 그곳에 사는 지역민들에게는 중요한 공중목욕탕, 세탁소와 같은 전통적인 상점들 사이의 갈등이 존재할 수 있다. 관광객들을 노린 대기업, 다국적 기업 등의 프랜차이즈 상점들이 들어와 땅값이 치솟고, 이를 버티지 못한 영세 상인들이 문을 닫거나 이사하는 '둥지 내몰림' 현상도 흔하게 볼 수 있다. 또 상권과 관련 없는 주민들에게는 오히려 사생활 침해 등 부작용이 발생할 가능성이 있다. 수시로 드나드는 외지인에 신음했던 통영 벽화 마을이 대표적인 예다.

따라서 핵심은 로컬을 찾는 이가 많아지는 것이 로컬 주민들에게 어떤 보이는, 또는 보이지 않는 혜택을 줄 수 있는

가다. 주민 생활이 불편해질 수 있는 부정적 외부 효과negative externalities를 어떻게 긍정적 외부 효과positive externalities로 바꿀 수 있는가를 논의해야 한다. 로컬에서 벤처 창업을 할 때 주민 동의와 참여 그리고 소통이 중요한 이유가 바로 여기에 있다. 갈등을 슬기롭게 조정하고 순환 구조를 만들기 위해서는 공동 평가 활성화 등을 통한 소통적인 지역성communicative locality을 활성화하고 주민들의 참여 범위를 더 의미 있게 넓혀야 한다. 나만 잘되는 것이 아니라 주민과 연결도가 높아야 한다.

> 나는 여기에서 관리자로 있기 때문에 지역 재생에 대해 고민을 하는 거지, 정작 직원들은 그런 것에 대해 별로 관심이 없어요. 여기는 자영업자가 매우 많아요. 그들에게는 지역 재생에 대한 결핍이 늘 있는 거예요. 강릉은 그나마 나은 편이지만 그래도 수요가 없는 것에 대해 늘 불안해해요. 수요가 살아나야 지역이 살기 때문에 지역 재생에 대해 더 많이 생각하게 되는 거예요. 제가 만약 대도시의 어느 회사에 다니고 있었다면 이 지역이 살아나야 내가 월급을 받을 수 있다, 이런 생각은 안 했을 거예요.
>
> — 배효선, 홍제원 대표

로컬의 활성화를 바라고 고민하는 건 주민도, 창업자도

마찬가지이다. 로컬 창업자들이 일정 정도 새로운 목적을 지향하며 조금 더 적극적으로 생기 있는 로컬을 바라는 경우도 있지만, 그것이 주민들이 생각하는 지향점보다 더 옳다거나 더 정당하다고 주장하기는 어렵다. 로컬 벤처와 로컬 사회가 대척 지점에 존재하는 것은 아니지만 새로운 이주자와 주민 간에는 언제나 긴장과 균열 가능성이 있다. 각자의 상황이 모두 다르기 때문이다. 누가 어떻게 인지하고 풀어 나가느냐에 따라 국면은 다르게 나타난다.

> 놀러 온 사람, 새로 이사 온 사람, 몇십 년째 사는 사람, 몇십 년째 파는 사람, 모두 상황에 따라 처지가 다르다.[26]
>
> — 박찬용, 《우리가 이 도시의 주인공은 아닐지라도》

소통이란 단순한 대화만 의미하는 것은 아니다. 같은 로컬에서 오가며 인사도 하고 때로는 다투는 등 많은 일이 일어날 수 있다. 친밀도와 갈등의 정도는 로컬마다, 사람에 따라, 사안에 따라, 얼마든지 다양하게 나타날 것이다. 로컬 벤처를 창업할 때는 주민과 대화나 나눔 같은 일상의 느슨한 소통 방식부터 동업과 일자리 창출이라는 적극적 소통 방식을 진행할 수 있다.

로컬 구성원 서로의 이익을 위한 협동을 촉진하는 규

범, 신뢰, 네트워크인 사회 자본의 역할도 로컬 창업에서 중요하므로 이를 '관계 자산'이라는 개념으로 확대할 수 있다. 관계 자산 개념은 이주민과 주민 사이의 관계, 개인과 자원의 관계 등 연결성을 강조한다. 또 고립되고 단절된 하나의 개인에만 주목하지 않는다는 점에서 로컬 창업자와 로컬 주민, 로컬 창업자와 로컬 창업자, 로컬 창업자와 로컬 자원의 만남을 해석할 수 있는 유용한 키워드이다. 관계 자산은 사업 확장을 위한 단순 자산이 아니라 일종의 사회적 의무 같은 것이다. 그런 차원에서 보면 아직 우리나라 로컬 창업은 성장을 말하기 이전에 안정적인 로컬 기반의 마련이 필요한 상황이다. 여전히 로컬 창업자는 도시나 로컬에서도 낯선 사람들이고, 낯선 가치를 제시하는 사람들이고, 낯선 서비스를 제공하는 사람들로 평가되기 때문이다. 누군가의 잘못 때문에 그런 것이 아니라 사회적 기업이나 협동조합도 못 깬 그 '낯설다'라는 고정관념의 틀에 로컬 창업자도 포함될 수밖에 없다는 제한이 있다.

고정 관념을 깨려면 무엇보다 로컬에 대한 기여도가 더 분명해질 필요가 있다. 청년 창업가나 종사자들도 로컬에서 격리된 것 같은 외로움이 아니라 로컬과 딱 붙어서 함께 성장하고 있다는 일종의 일체감을 만들 필요가 있다.

나와 같은 고민을 하고, 나와 같은 취향을 갖고, 나와 같이 놀 수 있는 친구들이 많다면 지방을 이탈하는 여러 이유 중에 하나는 사라질 것 같아요. 그래서 청년들 간의 관계 맺기가 중요합니다.

— 오석조, 문화 인력 양성소 협동조합 판 대표

어느 정도 시간이 지나 때가 되면 '낯선 존재'라는 평가가 아니라 '새롭다', '괜찮다', '할 만하다'라는 평가를 받아야 한다. 실제로 만난 로컬 창업자들도 같은 분위기의 말을 했다. 거창한 사업 계획보다는 한걸음이라도 단단하게 가면서 호흡을 가다듬고 충실하게 초심을 생각하는 '로컬 살이'를 하고 싶다고 했다.

우리가 큰 기업들과 가격 경쟁을 할 수는 없잖아요. 그래서 우리만의 개성을 뾰족하게 갖고 가야 한다고 생각해요. 매년 거창한 계획을 갖기보다는 지금까지 그래왔듯이 원칙을 갖고, 시장에 휘둘리지 말고 로컬에 스며들려고 노력하고 있어요.

— 전은경, 버드나무 브루어리 대표

속도가 더디더라도 단단하게 갈 수 있는 구조여야만 해요. 로컬의 트렌드는 매우 빠르게 변화하는데, 위에서 결정하는 구조보다는 구성원이 의견을 자유롭게 낼 수 있는 방식으로 운영하는 것이 좋은 것 같아요. 그러다 보니 놓치고 못 한 사업도 많지만 한편으로는 하겠다고 마음만 먹으면 단단하게 가는 경향이 있어서 장단점이 있는 것 같아요.

— 오석조, 문화 인력 양성소 협동조합 판 대표

기업 경영 차원에서 보면 한가하고 비현실적인 소망이라고 비난받을 수도 있다. 하지만 경영 차원에서 모든 기업 구성원의 심리적 공감을 바탕으로 한 안정적 목표 추구가 하나의 요소, 또는 본질이 될 수도 있다. 그렇기에 새로운 로컬 가치에 대한 성찰과 반성은 오래 할수록 여물고 단단해질 것이다. 상품이나 서비스 생산보다 중요한 것은 모두가 사람이 하는 일이라는 인식이다.

모두가 주인공

지역성을 반영한 로컬 벤처를 하고자 한다면 일상의 소통 방식도 조금 달라져야 한다. 이미 로컬에 아는 사람이 있거나 로컬에 대한 지식이 많은 사람이라면 소통으로 인한 갈등은 다른 이주자에 비해 크지 않다. 그러나 대부분의 경우 로컬을 떠났다가 돌아오거나 아예 낯선 로컬에 정착하는 경우가 많다. 그 때문에 로컬 이주자가 낯선 로컬 사회와 어떻게 만나야 하는가는 매우 큰 고민이다. 각자 처한 상황도 다르기 때문에 정답을 제시하기는 어렵다.

가장 원만한 방식은 부지런히 신뢰를 쌓는 것이다. 일단 만나는 것이다. 만남이 반복되면 생각보다 일이 빨리 진행될 수도 있다. 도시에서는 문을 닫아 놓는 것을 당연하게 여기지만, 로컬에서는 그렇지 않은 경우가 있다. 그렇다고 24시간 문을 열어 놓으라는 것은 아니다. 물리적 문과 심리적 문의 적절한 열고 닫음을 만들어 내는 것이 중요하다는 뜻이다.

대도시에서는 적당한 익명성 속에 개인이 드러나지 않을 수도 있다. 하지만 작은 로컬일수록 익명성은 고사하고 온 마을에 어떤 형태로든 실명을 포함한 개인 정보가 알려지는 경우가 많다. 본인도 모르는 사이에 말이다. 하지만 이를 바탕으로 로컬 주민이 로컬 이주자를 감시한다고 판단할 수는 없다. 누구네 집 누구네 아들, 딸, 누구네 집의 무슨 일이라는 문화가 조용히 축적되던 생활에 낯선 이주자가 등장했다는 것 자체가 매우 큰 이슈이기 때문이다.

낯선 사람의 등장은 단순한 뉴스를 넘어 공동체 유지를 위한 새로운 생각거리가 될 수도 있다. 즉, 같이 오래 살 사람인가, 적당히 있다가 돈 벌면 떠날 사람인가, 아니면 그냥 도시 친구들만 데려와서 동네만 시끄럽게 만들 존재인가 등 다양한 생각을 하게 되는 것이다. 친구로 존재할지, 골칫거리가 될지, 도움이 될지 등에 대해 많은 생각을 할 수밖에 없는 것이 로컬의 문화다. 작은 로컬에서는 공동체의 유지가 곧 개인의 삶과 직결되는 부분이 있다. 그 때문에 공동체를 유지하는 데 있어서 이주자의 이주는 매우 큰 변수가 되는 것이다.

작은 로컬 단위일수록 실생활 정보, 이른바 '꿀팁'을 정부 기관보다 주민들이 더 잘 아는 경우가 많다. 주민들의 도움으로 일의 흐름이 매끄러워지고 생각보다 일의 진도가 빨라지는 선순환 효과가 나타날 수도 있다. 어디에 가니 누가 뭘 잘하더라, 그런 건 이렇게 하면 이렇게 풀릴 수 있는 문제라는 등의 실용적인 생활 지식을 주변의 로컬 지인들이 알려주고 해결 방안까지 안내해 주는 것이다.

> 사업을 처음 시작할 때 강릉에서 방풍 막걸리를 만드시는 분과 일을 시작하게 됐어요. 그분은 오랫동안 이곳에서 방풍도가를 운영하던 분이었고, 그래서 공간 매입부터 지역에 사는 분들과의 사이에서 생기는 이슈들까지 나서서 해결해 주셨어요.
>
> — 전은경, 버드나무 브루어리 대표

하지만 말이 쉽지 그 과정 또한 언제나 순탄한 것은 아니다. 아무리 친해졌다 해도 '일 따로 친한 것 따로'가 되는 상황이 될 수도 있고, 로컬 주민이 이주자를 돕기 위해서 항상 완벽하게 준비하고만 있는 상태일 리도 만무하다. 아무리 주민의 도움이 커도 이미 로컬에 존재하고 있는 산업 일부에 이주자가 개입하는 경우에는 더 많은 이익 갈등이 생길 위험도 있다.

> 지금도 저 혼자 빵을 만든다고 생각하지 않습니다. 메밀, 달걀, 토마토 등 이 지역의 좋은 재료를 만들어 내는 손길이 모여 좋은 빵이 나오는 것이죠. 모두가 저의 아버지, 어머니라고 할 정도로 가깝게 지내는 분들이 많기 때문에 항상 예의를 지키고 존중하고 있습니다.
>
> — 최효주, 브래드메밀 대표[27]

일의 진행 과정을 충분히 공유할 수 있는 언어로 설명하고, 이 공간이나 서비스가 창업자만 잘 살기 위한 것이 아니라 로컬 사회에도 필요하다는 사실에 충분히 공감하는 사람들을 늘려야 한다. 결국 서로 로컬을 얼마나 깊게 인식하고 있는가가 소통의 첫걸음일 것이다.

> 지역 문화 단체도 초청하고 여기에서 음악회나 전시회, 공연 같은 것도 종종 열어서 지역 분들이 오실 수 있게 해요. 다섯

분이 계모임 한다면 맥주 한 잔씩 무료로 드리고 공간을 마음껏 쓰시라고 해요. 무료로 공간을 드리는 것만으로도 여기에 한번 와보는 것이고 수제 맥주가 뭔지 한 잔씩 마셔 보는 것이기 때문에 의미가 있잖아요? 지역 안에 그런 공간이 잘 없고 우리도 사람들과 가까워지고 싶어서 공간을 빌려드려요. 공간 대여나 지역 주민 대상 행사를 통해 버드나무에 가면 강릉 사람이기 때문에 대접받았다는 느낌이 들게 하려고 해요. 진짜 뭐라도 지역에서 함께 할 수 있는 것을 찾고 있어요. 뜨개 장인 같은 분들이 있으면 그런 분들도 강사로 모셔요. 멤버십 카드도 만들었는데 강릉 주민은 10퍼센트 할인, 65세 이상은 15퍼센트 할인, 외지인은 5퍼센트 할인을 받을 수 있어요. 10퍼센트 할인을 받는 강릉 주민들은 저희한테 데이터가 있어서 뜨개 장인을 초청해 간단한 뜨개 수업을 할 때 안내하고 초청해요. 문화 행사를 하면 20여 명 정도 참여해요. 단순히 맥주만 파는 공간이 아니라 사랑방 개념과 같은 거죠. 영국의 펍처럼 동네 사람들이 편하게 와서 맥주 한 잔 하면서 축구를 보는 것 같은, 그런 공간을 만들고 싶어요.

— 전은경, 버드나무 브루어리 대표

SNS는 절대로 지역적인 게 아니에요. SNS는 거리의 제한이 없다 보니 거기서 반응이 좋다고 해서 내가 하는 일이 지역과

> 연결이 되는 건 아니더라고요. 지역과는 연결이 정말 신기할 정도로 안 됐어요.
>
> — 배효선, 홍제원 대표

로컬 주민을 우대하고, 공간을 나누고, 로컬 단체를 초청해 만나는 것도 노력의 일환이다. 즉 모든 만남은 '우연'이 아니라 '노력'이다. 어쩌면 로컬 벤처의 시작부터 끝까지 이런 로컬 주민, 단체와의 만남이 매우 큰 부분을 차지할 수도 있다. 그렇다고 그 과정이 이사 왔으니 떡을 돌리며 인사를 해야만 한다는 식의 의례적인 인사치레를 말하는 건 아니다. 또는 도시 물 조금 먹은 청년들이 낙후된 로컬에서 새로운 만남을 시도하고 베푼다는 식의 소통 방식은 로컬에서의 새로운 시도가 지닌 본질적인 의미를 퇴색시키는 것이다.

> 버드나무 브루어리의 핵심은 로컬에 지향점이 많이 있다는 거예요. 여기에서 일하면서 중점을 둔 것은 지역 상생, 강릉과의 소통이었어요. 어떻게 하면 더 지역 주민과 소통할 것인가, 어떤 것을 나누면서 살 것인가에 대해 치열하게 고민했던 것 같아요. 상생은 소통과 비슷한 것 같지만 달라요. 어떤 것을 나누며 경제적으로 지역과 함께 성장할 것인가에 대해 계속 고민했어요. 통장님, 주민 센터와도 이야기하고 노인 복지 회

관에서 배식 봉사 활동도 하고 그랬어요. 서울에서는 로컬에 대해 생각하지 않았지만 버드나무 브루어리를 하면서 지역과 만나는 것에 대해 계속 생각하게 됐어요. 가장 큰 브랜드 가치가 지역에 있고 내가 강릉에 있으면서 이걸 책임지고 있기 때문에 행사든 이벤트든 무엇을 하든 지역과 연관되어야 한다고 늘 같이 이야기했어요. 그런데 그게 여기에서 나고 자란 사람들과는 차원이 다른 어려움이었어요. 로컬, 로컬, 로컬이라고들 하지만 무엇을 위한 어디를 향한 로컬인지를 모르겠다는 생각이 들어요. 정말 지역에 있는 사람들이 그것에 대해 어떻게 인식하고 있는지 생각해 봐야 할 것 같아요.

— 배효선, 홍제원 대표

버드나무 브루어리는 오랜 시간 로컬 사회와 소통하기 위해 노력해 왔다. 여러 방식 가운데 가장 참신했던 것은 바로 그 동네에서 의미 있는 인물을 위한 헌정 맥주를 만들어 판다는 것이었다. 1년에 한 번씩 한시적으로 판매하는 '우리 동네 히어로 헌정 맥주'다. 1회(2018년)에는 동네에서 김장 나누기 등의 봉사 활동을 하는 박영순 통장님이 좋아하는 홍시를 모티브로 '박영순 에일'을, 2회(2020년)에는 강릉시 홍제동 사무소 앞에서 소나무 한약국을 운영하면서 주변의 어려운 분들에게 무료로 한약을 지어 주는 주재윤 한약사를 기념하며

'주재윤 라거'를 판매했다. '강릉 치어스' 프로그램도 있다. 강릉을 위해 공헌하는 단체를 한 달에 한 번씩 초청해 파티를 하고, 어떤 활동을 하는지 SNS에 올려 홍보하는 것이다.

이러한 방식은 단지 적당한 로컬 주민을 골라서 특별한 방식으로 그럴싸하게 주민을 한 번 홍보하고 마는 일방적인 방식이 아니다. 로컬 주민들과 함께 누가 로컬에 지속해서 기여해 왔는가를 오랜 시간 관찰해 찾아낸다. 그 사람이 로컬에 이바지하는 방식의 의미를 생각하고 그 특징을 반영해 정성 들여 상품을 만든다. 그리고 그 상품을 사는 모든 사람에게 로컬에 대해 다시 한 번 생각해 보게 하는, 처음부터 끝까지 소통하려는 노력으로 만들어진 방식이다.

> 헌정 맥주는 우리 주변에도 영웅은 있다는 개념으로 1년에 한 번 만들어요. 헌정 맥주는 이름만 다른 게 아니고 만드는 방법도 달라요. 그분이 가지고 있는 특징을 살리려고 하죠. 예를 들어 통장님은 평소에 홍시를 굉장히 좋아하시고 집에서 계절마다 홍시를 말리세요. 그걸 이용해서 홍시를 넣은 헌정 맥주를 만들었어요.
>
> — 전은경, 버드나무 브루어리 대표

운명 공동체 되기

산골 유학 사업을 하는 춘천 별빛 산골 교육 센터에서는 도시 초등학생들이 산골로 유학 와서 할머니, 할아버지 집에서 지내는 것처럼 로컬 환경에서 성장한다. 그래서 주민들의 협력이 필수다. 로컬 주민은 아이들을 하숙생처럼 받아서 보살피는 역할만 하는 게 아니라, 학교가 운영하는 로컬 관련 특강에 직접 강사로 나서기도 한다.

> 목공실을 만들고 목공실 옆에 텃밭을 만들었어요. 이걸 1년간 운영해요. 계절별로 뜨개질, 요리 수업 등을 해요. 대부분 주민이 강사예요. 한시적 강사와 고정적 강사가 있는데 고정적 강사는 금요일까지 하면 일곱 명쯤 됩니다. 마을 주민에 대한 강사료는 한 시간에 5만 원 정도예요. 이걸 통해서 노인들을 더 깊숙이 볼 수 있게 되더라고요. 그래서 노인 살림 프로그램을 하게 됐고 경로잔치도 해요. 아이들 용돈까지 포함해서 한 달에 70만 원의 유학비를 받는데 그중에 50만 원을 농가 홈스테이에 지원합니다(2010~2017년까지는 100퍼센트 홈스테이로 운영했다). 농가로서는 학생 2명을 받으면 월 100만 원, 1년이면 1200만 원을 벌 수 있는 거잖아요. 농촌에서는 굉장히 큰 메리트에요. 1년에 고추 농사를 지어도 1000만 원 벌기 힘든데. 그래서 그 홈스테이 이름을 '아이들과 어르신들의 행

복한 만남'이라고 지었어요.

— 윤요왕, 춘천 별빛 산골 교육 센터 대표

로컬 벤처가 로컬에 가져다주는 효과에 따라 둘의 관계는 여러 모델로 나뉜다. 우선 모두에게 윈윈win-win이 되는 공생 모델이 있다. 반면, 한쪽의 성장이 한 쪽에게 실패로 평가될 수 있는 구축 모델과 기여 모델이 있는데 구축 모델은 로컬 활동을 구축했지만, 로컬 사회에서 갈등을 야기하는 경우다. 기여 모델은 로컬 기여 활동을 하지만 그저 한시적인 로컬에의 봉사에 머무는 경우이다.

로컬 벤처와 로컬이 '윈윈'하는 비결은 어디에 있을까. '로컬에 이렇게 파고 들어가서 누구누구와 이런 방식으로 친해져야지'라는 식으로 계획적이고 전략적 접근을 한다고 해서 반드시 성공하는 것은 아니다. 대화를 트는 것만 해도 오랜 시간이 걸릴 수 있다. 일상적인 대화와 의미 공유가 깊어지면 동업이나 일자리 창출과 같은 본격적인 경제적 소통을 할 수 있는 기회가 많아진다. 이는 조금 더 적극적인 개입 방식으로써, 이익과 일을 공유하고 함께 부담하는 방식이다. 공동 작업이나 협업 등을 통해 주민과 동업하거나 주민을 고용하는 것이다. 일종의 운명 공동체가 되면 그때부터 로컬 창업은 '당신들'의 이야기가 아니라 '우리'의 이야기가 될 수 있다.

현재의 로컬 벤처 창업 이전에 아예 로컬에서 시작한 수많은 사회적 기업들이 특히 이런 방식을 주로 사용한다. 예비 사회적 기업에서 사회적 기업으로 규모를 늘릴 때 고용률을 높여야 하는 조건에도 일정 부분 도움이 된다. 로컬 벤처 대부분은 처음에는 예비 사회적 기업으로 시작했다가 협동조합이나 사회적 기업으로 전환한다. 사회적 기업은 생산 제품에 대한 공공 판매 가능성이 높고, 비정규직이 아니라 모두 정규직을 고용해야 하는 규정 때문에 고용 효과가 높다.

> 강원랜드에서 폐광 지역의 노인 일자리 사업을 지원하는데 그걸 우리가 위탁받아서 운영해요. 60세 이상 노인 18명의 일자리 사업을 맡았는데 그걸 담당하는 직원들이 있고요. 강원랜드가 상동에 지은 테마파크가 지금은 힐링 재단으로 바뀌었는데 노인들은 거기에 가서 꽃을 심거나, 풀을 뽑는 등 주변 경관 조성 작업을 해요. 그분들을 관리하는 팀장이 1명이 있고 회계가 1명이 있습니다. 그런 점에서 화이통은 강원랜드 일자리 사업의 수행 기관이기도 해요. 모두 정규직입니다. 직원 24명에는 포함되지 않는 조합원 19명이 있고요. 그 외에 출자금 50만 원을 내는 후원 회원이 있습니다. 조합원은 출자금을 내고 실제로 활동하고요, 1년 단위로 기여도에 따라 수익을 배분합니다. 우리는 다른 직장 생활처럼 정시 출퇴근이

아니고 며칠만 나오는 사람도 있고 외근도 많습니다. 따라서 각자 활동한 시간에 따라 급여를 지급합니다.

— 양승우, 화이통 협동조합 대표

공동 육아 개념으로 시작한 춘천 별빛 산골 교육 센터는 협동조합으로 시작해 마을 기업이 됐고, 2018년에는 사회적 가치 실현 목표를 조금 더 분명히 하는 사회적 기업 인증을 받았다. 조합에는 직원들만 있는 게 아니다.

(2019년) 현재 한 50명 정도 조합원이 있는데요. 마을에 관심 있는 분들, 유학생 학부모들이 조합원이에요. 학부모들은 준 조합원이나 후원 회원으로 전환하려고 해요. 조합원의 권리는 정하기 나름이지만 기본은 있어요. 일단 협동조합 운영회에 참여할 수 있고 선거권과 피선거권이 있습니다. 이사장이나 이사회에 출마할 수 있는 권리와 전체 회계·운영 시스템에 대해 참여할 의무가 있어요. 유학생 부모님들은 이곳과의 끈을 놓고 싶지 않아 하셔서 '별무리'라는 유학 수료 학생들의 학부모 동문 모임을 자발적으로 만드셨어요. 1년에 두 번 정도 모이시고 마을 축제에도 오세요. 협동조합에서 시작된 모임이 꾸준히 이어진다는 점에서 의미가 있죠.

— 윤요왕, 춘천 별빛 산골 교육 센터 대표

주민과 이익을 나누다 보면 로컬에서의 창업 기반을 더욱 탄탄하게 다져갈 수 있다. 어려움이 생기더라도 로컬 창업가의 사업 자체가 로컬 경제의 일부이기 때문에 모두 함께 서로 협력해 해결 방안을 모색해야 한다.

로컬 벤처 운영 과정에서 원래 사업에서 의도하지 않았던 파생 효과가 왕왕 발생할 수 있다는 점도 흥미롭다. 별빛산골 교육 센터의 경우는 두 가지의 파생 효과가 나타났는데, 하나는 마을 119센터 사업이고 다른 하나는 유학생 학부모들이 로컬로 이주한 것이다. 마을 119센터는 유학생들의 홈스테이를 위해 로컬에 사는 노인과 만나면서 알게 된 노인 문제 해결의 필요성에서 시작됐다. 마을 119센터는 공동체의 문제를 스스로 해결하는 방안을 조례로 만드는 것까지 시도하고 있다.

> 우리 마을 119센터에 대해 시와 조례로 하려고 하는 건 형광등 교체나 보일러 고장, 수도 동파 등 독거노인의 일상생활에서 발생하는 문제를 마을 인력으로 해결하려는 거예요. 어느 동사무소나 어느 복지관도 해결해 주지 못하는 개인 몫의 문제를 해결하는 시스템을 만드는 거죠.
>
> — 윤요왕, 춘천 별빛 산골 교육 센터 대표

산골 유학을 하는 아이들의 학부모들이 로컬로 옮겨와 사는 경우도 있다. 산골 유학의 처음 목표는 학부모를 로컬 주민으로 만드는 게 아니었다. 이렇게 꼬리에 꼬리를 무는 선순환 효과가 나타난다면 로컬 창업은 로컬에서 새로운 가치를 제시하는 의미 있는 파생 효과를 거두었다고 볼 수 있다.

> 2019년에만 벌써 세 집이 내려왔어요. 이 집 아이들은 작년까지 유학생이었는데 올해부터는 지역 아동이 된 거죠. 지금 귀농한 집이 40퍼센트에요. 일곱 명 정도가 여기가 부모님의 고향인 토박이 아이들입니다. 30퍼센트가 교육적 목적으로 촌에 온 아이들입니다.
>
> — 윤요왕, 춘천 별빛 산골 교육 센터 대표

마을 공화국과 주민 자산화

꼭꼭 숨겨진 작은 마을을 젊은 층이 찾고, 머무르게 하는 마을 호텔의 본질적인 목적은 지방 소멸, 인구 절벽의 시대에 로컬을 찾는 사람들을 늘려 지역 재생을 도모하는 것이다. 마을 호텔의 원형은 이탈리아의 알베르고 디푸소Albergo Diffuso다.[28] 알베르고 디푸소는 1970년대 지진 이후에 복구된 주거지와 로컬을 관광지로 만들기 위해 시작됐다. 방문객은 도심의 삶을 체험할 수 있도록 모든 제반 호텔 서비스를 받는다. 방문객들을 위한 공동 서비스 및 시설, 공간 등을 포함하는 환대 시스템도 구축한다. 모든 거주 공간은 알베르고 디푸소의 핵심인 리셉션, 공공 환경, 휴식 지역으로부터 200미터를 넘지 않는 거리 내에 위치하도록 한다. 이미 존재하는 물리적인 환경을 복구하거나 리모델링하면서 유기적인 망을 구축하는 것이다.[29] 이것이 일본 교토 이시카와현 와지마시 미이지구, 도쿄 야나카 지역의 하나레로 구현됐으며, 우리나라에서는 마을 호텔로 나타났다.

홍대 앞에 자리 잡은 로컬 스티치Local Stitch는 국내 마을 호텔의 원조다. 동네 여관을 리모델링해 2013년 문을 열었고 2023년 1월 기준 서울에만 19개의 지점이 있다. 노마드들이 모여 자유롭게 일도, 거주도 함께 하는 코워킹-셰어하우스로 거듭났다. 근처 식당과 세탁소 등 동네 가게들과 연계한 서비스를 제공한다.

2018년 8월에 문을 연 공주 봉황재 마을 호텔은 관광객과 마을 자영업자가 상생할 수 있는 방식으로 기획됐다. 2014년 공주시가 구도심 활성화를 위해 도시 재생 사업인 역사 문화 보존 사업을 진행했지만, 하향식 사업 접근으로 성공하지 못했다. 이를 민간 차원에서 한옥 숙박, 식당, 카페, 사진관, 서점, 갤러리, 잡화, 공방, 볼거리 등으로 구성해 마을 전체를 하나의 호텔처럼 논스톱 방식으로 재구성한 것이 봉황재 마을 호텔이다. 즉, 호텔이라는 개념을 빌려 장소를 재구성한 것이다. 2020년 5월 문을 연 강원도 정선 고한의 18번가 마을 호텔 역시 비슷하다. 탄광 지역의 쇠락, 강원랜드라는 대형 리조트가 채울 수 없는 생활 공간을 2017년부터 3년의 준비 과정을 거쳐 낡은 집 리모델링, 깨끗한 마을 만들기와 동네 상권과의 연결을 통해 하나의 호텔로 만들었다.

로컬 벤처들이 시도한 새로운 형태인 마을 호텔[30]은 이윤 추구성을 가진 영리 사업이다. 그러나 이윤 추구만을 위해 움직이지 않고 주민 협력과 공유 자원을 재해석하고 활용하는 커머닝commoning 방식으로 운영한다. 예를 들어 매출 전액을 마을 발전 기금으로 기부하는 사례도 있다.

마을 호텔이 구성되면 모든 사람은 공동체의 일원이 된다. 마을 호텔 운영을 위해 2주에 한 번씩 당사자들이 모여 회의를 하고, 마을 호텔 위원회 구성 등도 논의한다. 마을 호텔 위원회, 마을 만들기 위원회, 주민들의 협동조합 등은 정선 고한처럼 운영 전에 만들어지기도 하고, 공주 봉황재처럼 운영 후에 만들어지기도 한다.

정선 마을 호텔 18번가 협동조합은 골목 상점을 운영하는 11명의 주민이 조합원으로 참여해 1인당 100만 원 이상의 출자금을 출연했다(초기인 2018년에는 국토교통부 소규모 재생 사업의 지원을 받았다).[31]

2019년 9월 목포에서 열린 제1회 건맥 1897 축제[32]에는 시민 6000명이 참여했다. 건맥은 목포의 건어물과 맥주를 함께 즐기는 것을 뜻한다. 만호동 해산물 상인회와 해산물 조합 주민이 기획하고 운영했는데 이 행사를 기점으로 매일 축제를 여는 거리를 만들기 위해 전국 최초의 마을 펍town pub[33]과 호스텔hostel을 기획했다.

> 이 거리는 밤이 되면 인적이 끊어지는 곳이에요. 그런 곳에 걸어 다니기 힘들 정도로 사람이 모인 겁니다. 방문객들뿐 아니라 동네 주민들도 정말 좋아했어요. 함께 어울려 맥주도 마시고, 튀김이나 과일 같은 안주도 막 내오고…. 거리에 사람이 북적이는 것 자체가 즐거웠던 거죠. 언제 또 하느냐고 묻는 분들도 많았어요.
>
> — 박창수, 목포 해산물 상인회 회장[34]

2019년 12월에는 '건맥 1897 협동조합'을 만들어 100명의 조합원을 모집하고 임팩트 투자로 6000만 원을 투자받아 주민이 소유하고 주민이 운영하는 주민 자산화를 시도하고 있다. 주민 자산화는 주민들이 토지와 건물 등 로컬에 필요한 자산을 공동으로 소유하고 사용하는 대안적 소유 방식이다. 공동 소유 자산의 관리와 운영에 주민들이 민주적으로 참여

하며, 자산 운용을 통해 발생한 이익도 로컬 공동체와 나눈다. 이를 시민 자산화, 공동체 자산화, 사회적 부동산으로도 부른다.[35] 다수의 시민이 '공동 건물주'가 되는 개념이다.

에필로그

N가지 상상력이 필요하다

어쩔 수 없는 편견이지만 로컬 창업자들을 만날 때마다 이런 질문을 하고 싶은 충동이 들 때가 많다. "밥은 먹고 다니냐", "뭐로 먹고사냐" 등의 질문들이다. 그러나 (아무리 궁금해도 초면에) 이런 질문을 하는 건 매우 무례하다는 것을 안다. 당연히 먹고살려고 하는 일들이다. 그러나 이제는 무조건 잘 먹고 잘 살기 위한 하나의 목표를 위해 달려가는 시대가 아니다. 오히려 어떻게 잘 먹고, 어떻게 잘 살려는가, 왜 잘 살아야만 하느냐라는 의문을 공유하고 그 해답을 함께 찾는, 늦더라도 차분히 삶의 터전을 다지는 노력을 서로 격려하는 것이 의미 있는 시대가 되었다.

로컬 창업자들에게 "로컬에서 왜 이런 일을 하게 되었는가"라고 물었을 때, 예상 밖으로 매우 자주 들은 것은 "우연이었다"라는 말이었다. 삶에서 우연이란 존재할 수 있긴 하지만 체계와 논리에 익숙한 사회 과학 연구자로서는 대략 난감한 표현이었다. "교과서로만 공부했는데 결과가 좋게 나왔다"라는 수재들의 후일담을 듣는 것 같아서 맥 빠지는 부분도 있었다.

그럼에도 불구하고 이주자들의 이야기를 찬찬히 듣다 보면 그게 100퍼센트 우연은 아니라는 것을 파악할 수 있었다. 지나고 보면 우연이라고 생각할 수 있지만 그런 행동을 할 수밖에 없을 만큼 고민한 수많은 시간이 있었다. 이전에도 그런 유의 시도를 계속해 왔고, 관심이 있었기 때문에 어떤 일이나 상황이 딱 맞게 발생한 순간 그런 일을 하게 된다. 그렇게 하고 나서야 우연이나 행운으로 느끼게 되는 것이다.

로컬의 지위 복원과 새로운 로컬의 탄생을 위한 조건은 무엇일까. 로컬에서 누구나 만족할 수 있고, 과거와 다른 새로운 삶의 방식으로 더 나은 삶의 질을 만들기 위해 어떻게 해야 할까. 사람으로부터 시작해 로컬 자원을 슬기롭게 활용하고 로컬 주민과 잘 소통하며, 성과를 이루고 그러한 경험 자산을 바탕으로 또 다른 시도를 하는 선순환 구조가 만들어져야 한다.

로컬 벤처 창업 분위기가 생긴 지 5년 남짓 되었다는 점을 고려했을 때 이들의 성공과 실패 가능성에 대한 질문을 지금 던지는 것은 어쩌면 다소 섣부를 수 있다. 또한 로컬에 대해 낭만론, 폄훼론, 시혜론, 행정론, 모방론이라는 다섯 가지 편견이 존재하듯이 U·J·I턴족의 로컬 벤처 시도에 대한 일정 정도의 과대 홍보나 폄하뿐 아니라 그저 잠깐 지원해 줄 뿐인 대상으로 여기는 경향이 있는 것도 사실이다.

그럼에도 불구하고 우리는 로컬에 대한 다섯 가지 편견을 극복하고 N가지의 다양한 시선으로 우리가 사는 공간을 직시해야 한다. 이제는 삶의 다양성을 인정하는 것이 그 어느 때보다 중요한 시대가 되었기 때문이다.

"로컬에 가망이 없다는 게 아니라 그냥 상황을 담백하고 냉철하게 받아들여야 한다. 현실을 기반으로 생각해야 현실성이 높아진다. 이런 생각이 오히려 로컬 지향적이다. '로컬만이 답이다'도 아니지만 섣불리 지방 소멸을 외칠 수도 없다."

— 이선철, 감자꽃 스튜디오 대표[36]

생물학적 진화론에서는 유전자가 진화의 단위다. 진화는 생물 집단이 시간을 거치면서 환경에 적응하기 위해 변화하고, 그 변화를 축적해 집단 전체의 특성을 변화시키고, 나아가 새로운 종을 탄생시키는 자연 현상이다. 같은 기준으로 보면 로컬 진화의 단위도 (유전자 단위처럼) 사람을 기준으로 평가해야 할 것만 같다. 그러나 그렇게 되면 사람의 변화만 로컬 진화의 핵심 요인이 되고, 사람만 바뀌면 로컬이 더 나아질 수 있다는 결론만 앙상하게 남게 된다. 그러나 사회 불안이 더욱 심화하는 과정에서 개인만의 평화를 기대하는 것은 불가능하다. 로컬의 진화 조건은 생물학적 환경에서 이루어지는 것이 아니라 정치·경제·사회·문화적인 여러 요인이 복합적으로 작동하는 사회적 환경 속에 있으므로 자연 진화와 다르다. 따라서 로컬의 진화 문제를 개개인에게서만 찾으려고 해서는 안 된다.

로컬 자원을 이용해 로컬 주민과 소통하면 실패든, 성

공이든, 현상 유지에 머물든 어떤 성과가 나오기 마련인데, 현실에서는 어떤 행위자인지, 어떤 자원인지, 어떤 소통 방식인지, 어떤 성과인지를 판단할 수 있는 부문이 모호하다. 그러다 보니 순환 구조 자체를 막연한 이미지로만 상상한다. 그러나 개별 과정을 투명하게 드러내고 어디에서 무슨 문제가 왜 발생하는지를 구조적으로 파악하면 로컬 벤처 창업이나 로컬 진화의 체계를 조금 더 잘 이해할 수 있다.

과연 이주자들은 로컬에 뿌리내려 또 다른 삶의 가능성을 형성할 수 있을까. 이 의문을 잘 풀기 위해서는 이주자의 가치와 구현 방식을 현실 날것 그대로 파악하고 이를 기반으로 미래를 전망할 수 있는 구체적이고 현실적인 N가지 상상력이 필요하다. 막연한 대상으로서의 로컬이 아니라 스스로 성취할 수 있는 주체로서의 로컬, 낭만과 동경의 대상이 아닌 현실을 바탕으로 보는 로컬, 불분명한 추상이 아니라 실용과 연계의 관점으로 분석한 로컬은 과거의 지방 자치·지방 분권식 접근법과는 차이가 있다.

새로운 로컬 활동에 대한 정책 분석이나 비전, 정치·사회·문화적 의미 분석이 부족하다는 것도 아쉬운 점이다. 심플하고 호젓한 라이프 스타일 부문에만 머무는 것이 아니라 조금 더 분야를 확장해 로컬 경제, 로컬 사회, 로컬 문화는 이렇게 새롭다고 소개하는 분석은 여전히 부족하다.

이 책에서는 2019년 가을에 강원창조경제혁신센터의 소개로 만난 15개 로컬 벤처와의 인터뷰가 요긴한 자료로 활용됐다. 소개하기 예민한 내용은 자제하고 되도록 의미 있는 화두를 제시할 수 있는 인터뷰 내용을 인용하려고 노력했다. 인터뷰한 자료들은 계속 연구 팀의 연구 성과에 반영될 계획이다. 모든 인터뷰 내용을 수록하지 못했지만 긴 시간 심층 인터뷰에 응해준 로컬 벤처 관계자들에 감사함을 표한다.

처음부터 빅 픽처를 가지고 계획적이고 전략적으로 로컬의 진화를 추진하는 것은 거의 불가능하다. 조금 더 신중하게, 진행 과정에서 매 순간 가능한 것들을 고민하고, 단계마다 주민의 동의와 참여를 유도해야 한다. 가치가 분명하다든가, 이익이 난다든가, 제도를 더 좋게 바꿀 수 있다면 못할 이유가 없다. 반대하는 사람도 설득할 수 있다. 새로운 삶의 방식을 로컬이라는 플랫폼에 얹을 방안을 모색하는 것이 중요하다.

로컬의 진화는 사람, 자원, 소통으로 이뤄지고 있다. 그러나 마지막으로 독자들과 꼭 공유하고 싶은 이야기가 있다. 우리 사회의 많은 제도가 그러하듯이 로컬의 진화 과정에도 제도의 영향력, 정부가 관여하는 부분이 있을 수밖에 없다. 이 또한 로컬 진화의 조건이 되는 것이다. 이런 이야기는 로컬에 대한 실무 행정을 담당하는 공무원에게도 전달해야 할 부분이지만, 한편으로는 로컬에 관심을 갖는 우리가 이해해야 하는 부분이다. 공론화가 되어야 실질적인 정책의 변화를 기대할 수 있다.

우선 현장 행정이 필요하다. 여전히 우리 행정은 현장에서 멀리 떨어져 있다. 특히 물리적 거리뿐 아니라 의식적 거리도 멀다. 현장 문제에 대한 신속한 대응이 필요하지만 행정 구조상 단기적인 성과에 집착한 정부는 정책을 먼저 만들고 거기에 현장을 억지로 맞춰 가려 하면서 반응성 자체를 지체시키고 있다.

공무원으로서는 행정 사고가 없어야 하고, 행정 진행이 무사하게 이루어져야 하며, 거기에 누구라도 알 수 있도록 양적인 정책 성과가 나와야 한다. 그러나 현장에서는 그러한 행정 속도와 방식에 맞춰 일을 진행하기 어렵다는 목소리가 많다.

공무원 순환 보직에 따른 잦은 담당자 변동과 그에 따른 1년이라는 짧은 사업 기한도 지속성에 큰 제약이 된다. 관료 용어, 행정 기관 용어의 번역도 필요하다. 분명 한국어인데 알아듣지 못하는 행정 용어가 너무 많다. 대부분의 행정 용어 자체가 일본식 한자로 만들어져 있어 요즘 젊은 세대처럼 한자에 익숙하지 않은 사람들은 더 이해하기 어렵다.

사업 계획서 지원 양식은 복잡하고 어려운 행정 용어로 가득 차 있고, 지원 업체는 사업 계획서를 데드라인 내에 제출

하는 것이 당연한 의무지만 지원 기관에서는 예산 집행을 차일피일 미루는 것을 관행이라고 이야기하며 사람을 지치게 한다.

다음으로 실용 행정이 필요하다. 기본적으로는 선명한 정책 원칙이 필요하다. 시작을 지원할 것인가, 유지를 지원할 것인가의 문제에 대한 고려가 필요하다. 시작하는 사람에게는 종잣돈이 필요하고 사업을 유지하기 위해서는 성장 지원금이 필요하다. 두 자금의 성격은 매우 다르고 효과도 다르다. 종잣돈을 지원하면 마중물의 효과는 기대할 수 있지만, 반면 업력 축적보다는 의존에 익숙하게 만드는 역효과가 있고, 성장 지원금은 막 시작하는 기업을 배제한 부익부 빈익빈으로 이어질 수 있다.

수많은 이주자를 위한 단기 정주 지원 문제도 해결해야 한다. 기존의 전월세 제도에서 벗어나 U·J·I턴족을 위한 일명 '살아보기 프로젝트'[37]를 위해 셰어 하우스나 단기 거주 지원 주택을 제공하는 것도 하나의 방안이다.

일반적인 행정 절차는 이렇다. 새로운 형태의 사업체가 나오면 육성 방안을 제시하고, 이를 뒷받침할 수 있는 사례를 참조해 개념을 만들고, 적어도 5년 정도의 장기적인 계획안을 만들어, 관련법을 제정한다. 관련법에 근거해 현장에서 사업을 수행하는 관련 '진흥원'이 생기고, 진흥원에서는 주무

부처를 대행해 인증 업체를 만든다. 그러나 이런 인증 제도가 생태계의 확장보다 생태계에 대한 간섭과 강제로 나타나는 경우도 있다. 창업자 입장에서는 인증을 받음으로써 이익을 볼 수도 있지만 인증에만 의존하면 유연한 성장을 기대하기 어려울 수도 있다.

관성적으로 로컬을 부정하거나 폄훼하지 않는 능동적 독려의 자세도 갖춰야 한다. 가망 없는 로컬보다는 그래도 상대적으로 경쟁력이 있을 것 같은 수도권만 지원 가치가 있다는 편향적 사고가 아직도 존재하고 있다. 또한 로컬 창업조차 일자리 늘리기 수준으로만 축소해 평가하며, 그마저도 여전히 –마중물 정도의 개념이 아니라– '지원'이라는 하향식 관점으로 접근하려고 하는 등의 잘못된 접근법에 대한 분명한 교정이 필요하다.

주어진 목표만 따르는 지루한 삶이 아닌 재미와 설렘을 선택하고 로컬로 향하는 도전은 지금도 계속되고 있다. 현장에서는 다양한 라이프 스타일과 창업 사례가 나타난다. 그 새로움에 관심을 갖는 주민들은 동참하고 있다. 이 모든 것이 단발성 이벤트가 아닌 진정한 사회 진화로 연결되기 위해서는 사람, 자원, 관계, 정책 등 복합적인 조건에 대한 진지한 고려가 필요하다.

지방, 시골, 변두리에 머물러 있기만 했던 로컬에 새로운 바람을 불어넣으려는 시도는 계속될 것이다. 이러한 시도는 단지 로컬의 지위 격상을 목표로만 하는 시도가 아니라, 과거 성장 방식의 한계가 뚜렷해지는 시대에 새로운 가능성을 찾고자 하는 시도이다. 진정한 사회 진화로의 길은 멀고 어두울 수도 있지만 역사의 선례처럼 새로운 시도는 새로운 길을 만들 수 있다. 이것이 로컬의 진화의 본질이다.

주

1 _ 한국사회적기업진흥원, 2020. 6. 30 기준 통계.

2 _ 윤찬영, 〈[로컬계 멘토가 자영업 할 노력으로 취업하라 한 까닭] 이선철 감자꽃 스튜디오 대표 인터뷰〉, 《오마이뉴스》, 2020. 2. 5.

3 _ 이덕환, 〈이덕환의 과학 세상: 생태계 조성〉, 《디지털타임스》, 2015. 11. 30.

4 _ 가와이 마사시(최미숙 譯), 《미래 연표: 예고된 인구 충격이 던지는 경고》, 한국경제신문, 2018, 8쪽.

5 _ 해리 덴트(Harry S. Dent Jr.)가 《인구 절벽(The Demographic Cliff: How to Survive and Prosper During the Great Deflation Ahead)》에서 처음 제시한 개념으로써 사회 생산 가능 인구인 15~64세 연령대가 급속도로 줄어드는 현상을 말한다.

6 _ 간다 세이지(류석진·윤정구·조희정 譯), 《마을의 진화: 산골 마을 가미야마에서 만난 미래》, 반비, 2020, 146-147쪽에서 재인용.

7 _ 일본창성회의는 2011년 동일본 대지진 이후, 2011년 5월에 사회 부흥을 계기로 국가의 새로운 틀을 세우는 것을 목표로 발족했다. 이영준·이수진, 〈UJI턴 형태의 지방회귀 및 정주 결정 요인: 아오모리현 주민 설문 조사를 통하여〉, 《지역 사회 연구》 24(2), 2016, 164쪽.

8 _ 日本創成会議·人口減少問題検討分科会, 〈成長を続ける21世紀のために: ストップ少子化·地方元気戦略〉, 2014.

9 _ 박승현, 〈지방 소멸과 지방 창생: 재후(災後)의 관점으로 본 마스다 보고서〉, 《일본비평》 16호, 2016, 158-183쪽.
이정환, 〈일본 지방 창생 정책의 탈지방적 성격〉, 《국제·지역 연구》 27(1), 2018, 1-32쪽.

10 _ 간다 세이지(류석진·윤정구·조희정 譯), 《마을의 진화: 산골 마을 가미야마에서 만난 미래》, 반비, 2020, 55-56쪽.

11 _ 최근에는 명절 때 고향에 갔다가 빨리 귀경하면서 짧은 여행을 즐기는 D턴족 및 선(先) 여행, 후(後) 귀향을 하는 역 D턴족도 등장했다.

12 _ 턴족이라는 말은 완전한 개념이라기보다는 유행어로 평가될 수도 있지만 적절한 표현을 못 찾았기 때문에 그룹별 인구를 턴족이라고 표현했다.
방정훈, 〈[투데이 인터뷰 '핫 피플'] 한종호 강원창조경제혁신센터장〉, 《ms투데이》, 2020. 4. 1.

13 _ 김일아, 〈로컬 지향 트렌드: 일본 산인 지방, 시골로 가는 젊은이들〉, 《토스트》, 2017. 9. 19.

14 _ 유니콘은 기업 가치 1조 원 이상의 비상장 신생 기업으로서 2013년 벤처 캐피털리스트 에일린 리(Aileen Lee)가 창안한 용어이다. 이 용어는 첨단 분야 창업가들의 상상력과 전환기 경제의 불안감을 모두 포착한 단어라고 할 수 있다. 2020년 7월 기준으로 전 세계에는 475개의 유니콘이 있다.

15 _ 알맹, 〈[마포로컬리스트]에 '알짜'가 뜨다〉, 《알맹망원시장》, 2018. 11. 16.

16 _ 牧大介, 《ローカル ベンチャー: 地域にはビジネスの可能性があふれている》, 木楽舎, 2018, 18쪽.

17 _ ローカルベンチャー協議会, 〈Local Venture Initiative Databook(2016. 9-2018. 3)〉, 2018, 3쪽.

18 _ 윤찬영, 〈[로컬계 멘토가 자영업 할 노력으로 취업하라 한 까닭] 이선철 감자꽃 스튜디오 대표 인터뷰〉, 《오마이뉴스》, 2020. 2. 5.

19 _ 최동수, 〈헬리오시티 스타벅스는 왜 외진 곳에 문을 열었나〉, 《머니투데이》, 2020. 5. 5.

20 _ 제레미 리프킨(이경남 譯), 《공감의 시대》, 민음사, 2010.

21 _ 이상호, 〈[로컬 크리에이터 혁명] 메밀꽃 필 무렵의 향수…'브레드 메밀'〉, 《뉴스투데이》, 2020. 3. 3.

22 _ 미노리는 본래 강릉시 사천면 지역으로 1916년 주막 거리·망골·보맥이·부동을 합쳐 미노리라 했다.미노리에서 나는 쌀은 수제 맥주로 만들어진다. 강릉에는 전통주 제조 기술과 우리 쌀로 빚은 수제 쌀 맥주 '미노리 세션'이 있다. 주재료인 쌀은 미노리 마을과 계약 재배한 쌀만 사용된다.
〈미노리〉, 《네이버 지식백과》

23 _ 이창길, 〈병원은 카페, 양복집은 갤러리…인천 개항로의 변신〉, 《폴인》, 2020. 5. 2.

24 _ 간다 세이지(류석진·윤정구·조희정 譯), 《마을의 진화》, 반비, 2020.

25 _ 젠트리피케이션은 영국 사회학자 글래스(Ruth Glass)가 1964년 노동자 계층이 모여 살던 런던 도심지에 중산 계층이 진입해 나타난 주택 시장과 사회 계층의 변화를 설명하기 위해 처음 사용했다. 말 그대로라면 (귀족 다음인) '신사 계급화'다. 1960년대에 진보적이고 보헤미안적인 예술가, 문학가, 배우, 지식인 계층이 임대료가 저렴한 노동자 계층 지역으로 들어가 노후 건물을 복원하고 주거 환경을 쾌적하게 변화시켰다. 그러나 지역 임대료가 상승하면서 이를 감당할 수 없는 노동자 계층이 밀려나게 됐다.
경신원, 《흔들리는 서울의 골목길: 밀레니얼과 젠트리피케이션》, 파람북, 2019, 15-16쪽.

26 _ 박찬용, 《우리가 이 도시의 주인공은 아닐지라도》, 웅진지식하우스, 2020, 161쪽.

27 _ 이상호, 〈[로컬 크리에이터 혁명] 메밀꽃 필 무렵의 향수…'브레드 메밀'〉, 《뉴스투데이》, 2020. 3. 3.

28 _ 수평 호텔(flat hotel), 분산 호텔(dispersed hotel), 흩어진 호텔(scattered hotel)이라고도 부른다.

29 _ 곽형선, 〈이탈리아 소규모 도시들이 살아남는 법〉, 《오마이뉴스》, 2010. 3. 2.

30 _ 류석진·조희정·김용복, 〈지역 재생 관점의 로컬 커먼즈 구현 가능성 연구: 로컬 자원과 자산화 사례를 중심으로〉, 《현대 정치 연구》, 2020, 60쪽.
2019년 2월 기준으로 전국의 마을 호텔은 10곳(전북, 강원, 서울 각 2곳, 충남, 충북, 경기 부산 각 1곳)에서 추진 중이거나 조성이 완료됐다.
김미향, 〈우리 지역도 마을 호텔, 전국 10곳에서 추진 중〉, 《한겨레》, 2019. 2. 8.

31 _ 윤수용, 〈정선 마을 호텔 18번가 내달 영업 개시〉, 《강원도민일보》, 2020. 2. 10.

32 _ 1897은 목포가 개항한 연도를 의미한다.

33 _ 영국의 최초의 공동체 소유 펍 '아이비 하우스'는 2012년에 탄생했다.
이종규, 〈주인이 100명인 마을 펍, 시민 자산화로 직진〉, 《한겨레》, 2020. 6. 8.

34 _ 이종규, 〈주인이 100명인 마을 펍, 시민 자산화로 직진〉, 《한겨레》, 2020. 6. 8.

35 _ 이종규, 〈주인이 100명인 마을 펍, 시민 자산화로 직진〉, 《한겨레》, 2020. 6. 8.

36 _ 윤찬영, 〈[로컬계 멘토가 자영업 할 노력으로 취업하라 한 까닭] 이선철 감자꽃 스튜디오 대표 인터뷰〉, 《오마이뉴스》, 2020. 2. 5.

37 _ 《아이들과 제주도에서 한 달 살기》라는 책이 나온 것은 2011년이고, 이것이 제주 한 달 살기 신드롬으로 나타난 것은 2014년 정도부터다. 이 신드롬에는 킨포크 라이프 스타일(kinfolk lifestyle)의 유행과 에어비앤비(airbnb) 서비스가 백업(backup) 요소로 작동했다.

북저널리즘 인사이드 세계화 다음의 로컬화

잊히고 소외됐던 공간이 주목받는 시대다. 쇠락해 가던 서울 을지로의 낡음은 새로움으로 재해석됐다. 익선동과 성수동도 마찬가지다. 역사를 깊이 품었지만 아무도 주목하지 않던 동네를 젊은 예술인과 창업가들이 문화 공간으로 바꿔 놓으면서, 가장 느리면서도 '힙한' 동네가 탄생했다. 이런 변화를 만드는 사람들을 로컬 창업가라고 부른다. 여기서 로컬은 서울이냐, 아니냐를 나누는 지역적인 의미가 아니다. 오래되고, 잊히고 있지만, 그래서 가능성이 풍부한 모든 공간을 말한다.

저자는 촌스럽고, 경쟁에서 뒤처진 '루저'들의 공간으로 여겨지던 로컬이 새로운 삶의 공간이 되고 있다고 말한다. 중심에는 밀레니얼이 있다. 밀레니얼은 취향을 일로 발전시킬 수 있는 새로운 기회를 찾아 자발적으로 로컬로 향한다. 무한 경쟁과 획일화된 가치를 강요받지 않아도 되는 자유롭고 독립적인 공간이기도 하다. 이들의 움직임은 코로나19로 새롭게 평가받고 있다. 로컬을 중심으로 신뢰 관계를 형성하는 로컬택트localtact가 세계화의 대안으로 떠오른 것이다. 생활권이 동네 중심으로 재편되고 있기 때문이다.

이들은 로컬에 있는 다양한 자원에 창의적인 아이디어를 입혀 새로운 콘텐츠를 만든다. 특히 로컬의 스토리를 품은 공간의 가치에 집중한다. 문 닫은 양조장은 낮에 책맥(맥주 마시며 독서)을 할 수 있는 문화 공간으로 거듭나고, 하나의 마을 전체가 호텔이 돼 핫플레이스로 떠오른다. 많이 찍어 내고, 많이 버는 게 이들의 목적은 아니다. 소통과 공감을 키워드로 자신이 추구하는 라이프 스타일을 공유하는 데 의미를 둔다.

저자가 만난 로컬 창업가들은 한결같이 느리더라도, 단단한 삶을 살고 싶다고 말한다. 그래서 로컬 주민들과 공존의 길을 찾으며 지속 가능한 지역 공동체를 만들고자 한다. 떼돈을 벌지 않더라도, 삶을 즐기며, 독특하고 창의적인 아이디어로 사람과 자원, 공간을 연결하는 것. 저자는 수년간 로컬에서 새로운 삶의 기반을 다진 창업가들을 보며 이런 현상이 한 철 유행으로 끝나지 않을 거라고 확신한다. 성공과 실패의 반복에도, 로컬 창업가는 생존보다 공존을 먼저 고민하며 진화하고 있기 때문이다.

이세영 에디터